LA SANTÉ PAR LES PIERRES

Chez le même éditeur :

Dr Jean-Bernard Baron:
LES AIMANTS DANS LA MÉDECINE D'AUJOURD'HUI
ISBN 2-8308-0004-4

Iona Sarah Solomon:
MÉDECINE DOUCE POUR ANIMAUX
L'Humain et l'Animal, frères de route
ISBN 2-8308-0005-2

Francis Raynard:
SE MOUVOIR SANS VOIR
Education et réadaptation des mals voyants et des aveugles
ISBN 2-8308-0007-9

François Parra:
LA LOI DES NOMBRES
Connaître les clés de son destin pour réussir sa vie
ISBN 2-8308-0006-0

Maddly Bamy:
POUR LE JOUR QUI REVIENT
Ce que la mort nous apprend de la vie
ISBN 2-603-00616-9

Jean-Louis Victor:
TAROT CHINOIS
(avec les 22 lames majeures)
ISBN 2-8308-0003-6

DAYA SARAI CHOCRON

LA SANTÉ PAR LES PIERRES

– Lithothérapie –

traduit de l'anglais
par
Melki Makhandar

Deuxième édition

Diffusion :
FRANCE : Diff'édit, 96, bd du Montparnasse, F - 75006 Paris.
BELGIQUE : Les Presses de Belgique, 25, rue du Sceptre,
B - 1040 Bruxelles.
SUISSE : Société Nouvelle de Librairie, 79, route d'Oron, CH - 1000
Lausanne 21.
CANADA : Librairie Raffin Inc., 7870 Fleuricourt, Saint-Léonard,
Québec H1R 2 L3.

Conception et réalisation de la couverture,
composition et mise en page :
Studio CB - Carpentier-Bachelet, Paris
Photographies : Rainer Bülz, Munich

L'éditeur se tient volontiers à votre disposition pour vous donner tous les renseignements souhaités sur son fonds d'édition. Yva Peyret est prête à vous faire parvenir régulièrement et en temps voulu une information sur les titres à paraître et ceci sans engagement de votre part. Il suffit de lui écrire à l'adresse suivante :
Yva Peyret, La Gollie, CH-1099 Corcelles-le-Jorat (Suisse).

ISBN 2-8308-0009-5

Ce livre est dédié à
TARA, déesse de la compassion,
qui me guide de sa lumière
et à
TOM EHRLICH qui m'accompagne
sur le sentier de la Vie.
Sa musique vibre au plus profond
et au plus « ancien » de moi.

INTRODUCTION

La beauté et la générosité de la Terre, notre mère à tous, est, pour moi, un constant sujet d'émerveillement et de respect. C'est par cet amour que s'établit une communication totale avec elle.

Il y a plusieurs années, j'ai quitté l'île sur laquelle je vivais pour revenir aux Etats-Unis où je me suis mise à étudier ce que l'on appelle là-bas la « Holistic Health », c'est-à-dire la santé que l'on peut sauvegarder ou recouvrer grâce à une harmonisation complète du corps et de l'esprit.

Sitôt arrivée, mon attention fut attirée par le Mouvement indien américain dont la philosophie me semblait être en parfaite harmonie avec la mère Terre, les éléments de la nature et le sacré.

J'ai passé bien des années dans les états du sud-ouest — Colorado, Nouveau Mexique et Arizona — apprenant, jour après jour, des techniques curatives très anciennes mais qui, pour moi, étaient nouvelles. Cette période de mon existence a été marquée par mon « réveil » spirituel.

Divers professeurs m'ont transmis leurs connaissances : en Arizona, j'ai fait la tournée des différentes réserves indiennes, vivant des mois dans chacune d'elles. Je pris l'habitude de faire de longues promenades qui me conduisirent jusque dans les montagnes et c'est là que j'ai commencé à ressentir le pouvoir des roches et des pierres. Ces roches et ces pierres, je le savais, détenaient des messages qu'il me faudrait un jour apprendre à déchiffrer. C'est là aussi que je rencontrai un homme, tailleur de pierres précieuses, influencé comme moi par le caractère sacré du

Mouvement des Indiens d'Amérique du Nord et qui s'était retiré dans la montagne pour mieux pénétrer les secrets des pierres et des cristaux avec lesquels il était en union parfaite. Il me fit don de sa connaissance et m'enseigna tout ce qu'il avait découvert à leur propos : leurs qualités et propriétés uniques.

Un jour, cet homme organisa une séance de méditation dans une mine. Durant le laps de temps passé à l'intérieur de la Terre, j'ai capté l'incroyable pouvoir de cette mère généreuse. Elle est un réservoir d'énergie que la plupart d'entre nous ignorent totalement. Jamais je n'oublierai le moment où, après être descendus dans la profondeur de la mine grâce à des échelles de corde, mes compagnons et moi-même avons allumé des bougies et commencé à chanter, à remercier et à prier au cœur de cette Terre nourrissière. Tout à coup, nous nous sommes tous sentis unis en elle : nous étions devenus « UN ». Cette expérience a transformé ma vie.

Mon ami lapidaire me fit cadeau de mon premier cristal. Devenu mon fidèle compagnon de chaque instant, ce cristal voyage avec moi, est présent quand je donne des traitements et m'accompagne à tous les séminaires.

Pendant que j'étais en train de méditer au fond de la mine, une étincelle jaillit en moi, qui m'indiquait clairement que je devais poursuivre mes recherches. Je décidai alors d'aller travailler avec le Groupe des femmes médecins indiennes. Elles m'ont expliqué les liens qui existent entre l'être humain et l'animal, entre l'être humain et la plante, entre l'être humain et la pierre. Elles m'ont parlé des rites et des cérémonies dans lesquelles interviennent les cristaux et les pierres, et enseigné comment nous unir aux éléments grâce à leurs vertus curatives et spirituelles. Ces femmes m'ont aussi appris la manière d'utiliser la force qui nous est donnée par les montagnes, la mer, le Soleil, la Lune, le vent, la pluie et les arbres pour pouvoir vivre en totale harmonie avec le cosmos.

INTRODUCTION

Les chamans indiens disent que l'homme doit marcher sur la Terre avec précaution afin de déranger le moins possible les règnes animal, végétal et minéral. Ils affirment également que tout être humain possède un « chant » dont il doit déchiffrer la mélodie à l'intérieur de lui-même, car il est né pour le chanter, et le chanter, c'est en faire l'offrande à l'Univers. J'ai beaucoup de respect pour ces enseignements et j'essaie de les appliquer dans ma vie quotidienne et de les propager autour de moi.

Par la suite, je rencontrai une femme guérisseuse qui détenait sa science des techniques employées par les Indiens de l'Est. Elle m'apprit à masser tout le corps, à pratiquer la méditation yogi et elle m'enseigna quelles étaient les vertus curatives des fleurs. Celles, sauvages, que nous allions cueillir dans le désert devenaient, par nos soins, des remèdes efficaces.

L'intérêt que je portais aux pierres et aux fleurs me fit comprendre le rôle important de la couleur, dont le pouvoir magique me fascine. C'est dans les pierres et les fleurs qu'elle se manifeste d'ailleurs avec le plus de perfection car celles-ci lui servent de trait d'union avec l'âme. Alors j'ai commencé à appliquer la thérapie par la couleur en utilisant des bougies dont la teinte permettait d'atteindre un niveau de conscience propice à la visualisation et à la méditation.

Pendant que je travaillais dans un Centre de rééducation pour drogués, j'ai pu vérifier l'efficacité des méthodes thérapeutiques préconisées par mon amie guérisseuse. En effet, là aussi la nourriture était considérée et utilisée comme un remède et le yoga comme un moyen apte à créer des changements dans le niveau de conscience des malades. Ces pratiques, je les ai faites miennes et je les applique avec succès dans ma vie quotidienne. Quelle femme remarquable que cette amie dont l'appui et les précieuses indications m'ont enseigné l'art de conseiller à bon escient et l'altruisme le plus pur !

Petit à petit, l'apprentissage et l'expérimentation de ces diverses techniques curatives en provenance d'un lontain passé ont constitué, pour moi, une sorte de *mandala* qui m'a amenée à me concentrer sur la thérapie basée sur les propriétés curatives indéniables des cristaux et des pierres.

Née au mois de mai, je suis du signe zodiacal du Taureau, avec un ascendant Taureau et la Lune en Scorpion, ce qui me prédestine à l'amour des formes. C'est certainement pour cette raison que les cristaux et les pierres, formes manifestées de la Lumière et de la couleur, sont devenus ma raison de vivre, mon travail et ma joie.

Lorsque je prends dans la main ces « morceaux » issus de notre Terre, leur contact me fait sentir l'esprit de la Lumière qui vit en eux. La beauté d'un cristal emplit mon cœur d'allégresse et nourrit mon âme. Par mon travail, j'espère arriver à une plus grande compréhension de cette « ouverture » du cœur... qui n'est autre qu'un acte d'amour et de foi. Cette conquête du « cœur ouvert » sur la vie nécessite beaucoup de courage, l'acceptation du risque, de déceptions navrantes, pour ne pas parler de la douleur et des chagrins.

La connaissance et la compréhension des cristaux et des pierres me sont venues du fin fond de mon intuition, niveau où livres et tableaux n'ont pas une grande signification. Il a fallu des années et des années pour que s'établisse entre mes nouveaux amis et moi une acceptation, une confiance réciproques, pour que nous nous reconnaissions. Je laisse aux pierres le soin de me choisir. Elles me parlent et je les écoute. Je me laisse guider par un système basé sur l'utilisation des *chakras* dont je parlerai plus longuement par la suite (voir sous *L'Arc-en-ciel et les sept rayons lumineux,* p. 23 et *Guérir avec des pierres,* p. 117) Vous pouvez, vous aussi, avoir recours à ce système, en attendant de découvrir celui qui vous sera propre.

INTRODUCTION

L'Univers est régi par des lois de base qu'il faut connaître, utiliser et respecter. Ne vous en écartez pas ! Travaillez au contraire en accord avec elles.

Je voyage énormément pour donner des conférences, conduire des séminaires et des ateliers, et je traite également certains patients en privé. Les résultats positifs dont je suis le témoin renforcent chaque jour ma foi dans le pouvoir curatif des pierres. Je remercie le ciel d'avoir été choisie pour accomplir cette mission d'espérance et aussi d'avoir eu l'occasion de partager la sage connaissance des Anciens.

Un monde enchanté, plein de merveilles et de mystères vous est offert. Je souhaite de tout cœur que vous puissiez l'explorer. Il est un proverbe bouddhiste du Tibet qui dit :

Celui qui, après être né à l'état d'homme,
n'a pas su prêter attention à la Doctrine sacrée
ressemble à celui qui revient les mains vides
d'un pays où toutes les pierres du chemin
sont des pierres précieuses.
Il n'a rien vu ni rien compris.
Sa vie est un lamentable échec.

Ce livre est né d'un besoin de me confier, de révéler et, surtout, de perpétuer l'ancienne tradition grâce à laquelle la guérison et l'évolution deviennent possibles avec le secours des pierres de la Terre : la voie organique, voie royale par excellence.

La Roche St. Secret
Provence, France
été 1983

Séminaire tenu à Alpbach (Autriche) en été 1983 *(photographie de Brigitte Stresemann)*

LA LUMIÈRE ET LA COULEUR

L'Ame universelle,
en permettant que le Tout soit créé,
lui a donné l'Image de la Lumière.
Pythagore

LA LUMIÈRE

Dans notre Univers, toute lumière est une émanation du Soleil central. Celui-ci est le dépositaire de toutes les énergies ; il est la source même de la lumière, de la chaleur et du mouvement sur cette planète.

La lumière est une énergie rayonnante. C'est grâce à sa force, à sa forme et à ses vibrations que l'Univers visible est manifesté.

Les Anciens enseignaient que l'Univers s'était créé à partir d'un premier feu cosmique : la *Grande Lumière blanche*, radiante émanation de l'Unique, source de toute lumière.

Le Bhagavad Gita nous parle de l'Impérissable Lumière : « *Contemple-moi sous toutes mes formes et dans chacune de mes couleurs* ».

Dieu, disent les Sages hindous, est le « Radiant ». Le monde, tel que nous le percevons, est à la fois Lumière, rythme et couleur. Les radiations émises par tout corps lumineux traversent l'espace par vagues. Elles possèdent un rythme vibratoire et la distance entre chaque pulsation représente la longueur d'onde de ces radiations, et leurs proportions harmoniques leur fréquence.

LA COULEUR

Lorsque la Lumière blanche, qui contient en elle toutes les couleurs, abaisse son taux vibratoire, elle produit le spectre : « *Les couleurs sont la souffrance de la lumière* » (Gœthe, *Farbenlehre*).

La couleur est un mode de différenciation de la Lumière initiale, qui s'opère à partir du taux vibratoire de cette dernière. Les rythmes vibratoires varient selon la couleur : la lumière violette est produite par des ondes courtes, la lumière rouge par des ondes plus longues.

Pour bien comprendre et utiliser à fond le pouvoir des pierres, il importe de savoir que toute matière émet des rayons lumineux et que ce sont eux qui ont des propriétés curatives.

La vibration la plus élevée, la Lumière blanche, provient de la grande source cosmique. Notre aura, incapable de la produire, se contente de la capter. Les rayons de cette Lumière cosmique jouent un rôle prépondérant dans le bon fonctionnement de notre corps énergétique. Lorsqu'ils pénètrent sans obstacles dans nos centres vitaux (chakras), la santé et l'harmonie — aussi bien physiques que mentales — nous sont assurées. Par contre, s'il y a blocage, l'énergie cosmique ne peut plus circuler librement et nous nous trouvons coupés de la source dont dépend notre équilibre vital.

La thérapie par la couleur est une technique curative qui consiste à provoquer une certaine réaction moléculaire à l'intérieur des organes en utilisant le pouvoir des rayons lumineux. Bien qu'elle provienne de l'extérieur, la Lumière — ne l'oublions pas — est une force qui existe aussi à l'intérieur de notre corps. Elle est présente au cœur de chacune de nos cellules. La nature nous a fait don de cette merveilleuse forme d'énergie, fondement de la vie, pour permettre à notre corps et à notre esprit de fonctionner parfaitement.

La santé est une question d'équilibre et d'harmonie entre les différents rythmes vibratoires qui se produisent en nous. L'existence de la planète entière, des océans, des pierres, des minéraux, des plantes, des animaux et des êtres humains dépend de la Lumière et de l'étonnant pouvoir de ses radiations. Ces dernières ne donnent pas seulement vie au monde matériel, mais également au monde spirituel. Chaque plan de vie — physique, mental, astral, ethérique — possède son propre rythme vibratoire.

La couleur est une force au pouvoir immense, infini. Elle exerce une très grande influence sur l'esprit et sur les émotions. Elle est le langage de la Lumière, la « marque de fabrique » de la réalité de la conscience. Aldous Huxley est arrivé à la conclusion que la couleur est la preuve de la réalité de la vie.

Mis à part le fait qu'elle est une source de beauté et de plaisir, la couleur contribue plus que tout autre facteur, mais en profondeur et de manière très subtile, à la transformation de l'énergie mentale et animique. C'est pour cette raison que la méditation tantrique lui accorde une importance capitale.

La science des couleurs repose sur les lois de la Lumière, révélées par les sept rayons lumineux. Ceux-ci ont une relation avec les sept plans de la manifestation de la vie et les sept chakras (appelés également les sept roues de la Lumière).

La Lumière blanche — ou Soleil spirituel — prend possession de l'âme grâce à l'aura qui la divise en sept couleurs, dont chacune donne son pouvoir et sa vitalité au chakra qui lui correspond.

L'âme est notre Soleil intérieur et les couleurs sont l'expression de l'Âme universelle.

Voici la liste des sept rayons lumineux :

1. Rouge		
2. Orange	}	Matériel
3. Jaune		
4. Vert		
5. Bleu		
6. Indigo	}	Spirituel
7. Violet		

LE CORPS ÉTHÉRIQUE

Le corps physique est composé :

a) du corps visible (dense et matériel)

b) du corps invisible (éthérique et vital)

Ces deux corps restent liés l'un à l'autre durant toute la vie de l'être humain, puis se séparent au moment de la mort.

La matière n'est pas aussi dense et consistante qu'elle le paraît. Elle est formée d'atomes, eux-mêmes composés d'électrons et de protons, maintenus ensemble grâce aux forces électromagnétiques. Les masses électriques positives et négatives sont distribuées et agencées par l'élément invisible et universel : l'éther.

L'éther est une substance cosmique omniprésente dans l'Univers et sert à mettre en contact les forces invisibles avec la Terre et les humains. Les rythmes vibratoires de l'éther sont nombreux et variés. Certains d'entre eux produisent la lumière, la chaleur, la couleur, l'électricité, etc. Ils sont le lien entre les sens physiques de l'homme et les forces cosmiques.

Aussi longtemps que nous ne réalisons pas pleinement que nos sensations strictement physiques proviennent d'un champ vibratoire très limité et que, en dehors de nous, il existe un vaste Univers dont la perception nous échappe totalement, nous n'avons aucune chance de nous développer spirituellement.

Le corps éthérique se trouve à environ quatre centimètres du corps physique et sa couleur est légèrement dorée. En cas de

Arrangement de coraux et de turquoises

« Faisceau » des forces cosmiques représenté avec des pierres

La Lumière blanche des cristaux de roche

Mandala de pierres (voir p. 80)

santé déficiente, il s'agit de fortifier le corps éthérique par le traitement naturel approprié, qui consiste à recharger les centres vitaux (chakras) avec l'énergie vibratoire des couleurs.

La puissance curative de la couleur est cosmique et agit directement sur les cellules éthériques, qu'elle revivifie. Lorsque j'applique des pierres sur le corps, c'est d'abord sur le corps éthérique qu'elles agissent, leur effet n'étant ressenti qu'après coup par le corps physique.

LA LOI COSMIQUE DES NOMBRES

Il existe des lois cosmiques précises, que nous retrouvons à des niveaux différents. Nous sommes un modèle réduit de l'Univers, un microcosme dans un macrocosme, créé à partir de la même matière et régi par les mêmes lois. Deux d'entre elles sont extrêmement importantes et il est indispensable de bien les comprendre : la loi de Trois (*loi du triangle*) et la loi de Sept (*loi de création*).

La loi du triangle (Trois)

Quel que soit le niveau où cela se passe, tout phénomène vital est le résultat de la rencontre et de l'interaction de trois principes ou forces. D'après Gurdjieff, rien ne peut se passer sans l'entrée en jeu d'un troisième principe, d'une troisième force qui vient transformer les deux déjà en présence. Ce même concept — comme quoi trois forces sont nécessaires pour qu'il y ait « réalisation » — se retrouve dans tous les enseignements ésotériques :

— la doctrine chrétienne de la Trinité ;

— la doctrine hindoue de la création de l'Univers ; de Brahman, l'Unique, naît Ishwara, le créateur, et c'est au travers de l'action conjointe de Brahma, Vishnou et Shiva (les trois différents aspects d'Ishwara) que tout ce qui existe a été créé ;

— la doctrine sankga des trois gunas : Raja, Tamas et Sattva. Ces trois principes, dont chacun a son caractère propre, ont créé différentes combinaisons qui ont donné vie au monde manifesté.

Gurdjieff a dénommé ces trois forces *active, passive* et *neutre.*

La loi de création (Sept)

Sept est le nombre de la création humaine, l'addition de Trois (esprit) et de Quatre (matière). Grâce au nombre Sept (les sept jours de la semaine, les sept notes de la gamme, les sept couleurs du spectre solaire) l'homme peut atteindre le sommet de son évolution créatrice.

Les prêtres égyptiens ont laissé des enseignements concernant la science des couleurs. Ils utilisaient la loi de correspondance entre les sept niveaux de conscience de l'être humain et les sept planètes du système solaire. Ils enseignaient que le rouge, le jaune et le bleu correspondent respectivement au corps, à l'âme et à l'esprit de l'homme. Dans leurs temples, certaines pièces aux murs recouverts de couleur étaient consacrées à l'étude de ses effets. L'enseignement de la doctrine ésotérique de la Lumière et de la couleur était, bien entendu, réservé à une élite car l'ensemble de la population, à cause de son niveau intellectuel insuffisant, ne pouvait en assimiler que quelques éléments. Il faut signaler que la science des couleurs faisait également partie des doctrines secrètes des mystiques indiens et chinois.

L'AURA

L'aura est constituée de sept couches de lumière superposées qui enveloppent la totalité de notre corps. Elle a la forme d'un œuf et son émanation s'apparente à un brouillard lumineux.

L'aura est l'essence même de notre vie. Elle révèle le caractère propre de chaque individu, la nature de ses émotions, ses aptitudes mentales, l'état de sa santé et de son développement spirituel.

Les sept couches lumineuses qui la composent se combinent entre elles et s'interpénètrent. Elles sont les courants de pensées et de sentiments qui s'écoulent dans l'océan de notre conscient.

Matériel	1re couche lumineuse :	*Physique* -	plan éthérique
	2e couche lumineuse :		plan astral
	3e couche lumineuse :		plan mental
	4e couche lumineuse :		plan mental subtil
Spirituel	5e couche lumineuse :	*Spirituel* -	plan causal
	6e couche lumineuse :		plan de l'intuition
	7e couche lumineuse :		plan divin

Les quatre premières couches lumineuses ont trait à l'existence matérielle ; les trois dernières se rapportent à la vie spirituelle.

L'explication de ce qui précède réside dans la nature même de l'être humain. Celui-ci, en effet, est le produit de la loi de Sept (*loi de création*) et son évolution s'opère tout au long de ces sept plans de vie.

Avec ses sept rayons, l'aura est le cicérone de l'âme humaine.

Le but de la thérapie par la couleur est de reconstituer à l'intérieur des couches lumineuses de l'aura, dans toute leur perfection, les sept rayons lumineux. Une fois cet objectif atteint, le corps, l'âme et l'esprit — revitalisés et harmonisés — ne font plus qu'un avec la source qui les a créés.

LES PROPRIÉTÉS ET LES APPLICATIONS DE LA COULEUR

Chaque couleur possède sept propriétés, à savoir celles d'intensifier les forces vitales, de stimuler, de guérir, d'éclairer, de pourvoir, d'inspirer et d'exaucer.

Les applications de la thérapie par la couleur sont diverses :

1. Traitement physique par la pose et l'utilisation des pierres et des couleurs sur le corps.

2. Traitement psychique grâce à l'influence des couleurs sur l'esprit et sur les émotions.

3. Traitement spirituel en rapport avec le symbolisme des couleurs et l'action qu'elles exercent sur l'aura.

LES CHAKRAS

Les chakras sont
Les temples de l'âme.

C'est à travers l'aura que la Lumière blanche pénètre en nous. Chacun des sept rayons lumineux imprègne l'un de nos sept centres vitaux, ou chakras, de la qualité qui lui est propre. Chaque chakra absorbe donc l'énergie vitale fournie par le rayon qui lui correspond. Ce phénomène se produit aussi bien sur le plan matériel que sur les plans de conscience supérieurs.

Les chakras sont en quelque sorte des canaux dont le rôle est de faire circuler l'énergie lumineuse des organes éthériques qui agissent directement sur le corps physique par l'intermédiaire des pensées, des sentiments et des sensations.

La Kundalini est à la fois
Musique et couleur,
Arc-en-ciel et chanson.

Les corrélations entre les sept chakras et les sept rayons lumineux sont les suivantes :

Rayon lumineux	*Chakra*	*Qualité*
7. violet	glande pinéale (couronne/sommet de la tête)	spiritualité
6. indigo	glande pituitaire (Troisième œil/front)	intuition
5. bleu	glande thyroïde (gorge)	inspiration religieuse
4. vert	cœur	harmonie et sympathie
3. jaune	glande médullo-surrénale (plexus solaire)	intelligence
2. orange	rate (organes sexuels)	énergie
1. rouge	base de la colonne vertébrale	vie

LA MUSIQUE

La couleur et le son sont deux aspects d'une même vibration. La science musicale est basée sur le principe fondamental des rythmes universels ; ceux-ci ont précédé la création du cosmos. Le son est né de la première respiration divine. La musique est le premier des arts, le plus important car le plus proche du Premier Souffle de la Création.

De chaque son émanent une couleur et une forme. Chaque forme rend une sonorité. Toute « chose » créée, de la cellule primitive à l'être humain, de la pierre et de la plante au système solaire, possède une note qui lui est propre. Toutes ces notes jouées ensemble produisent la « musique des sphères ».

Les battements du cœur, le mouvement du sang circulant dans les veines et les artères, les pulsations du souffle font que le corps humain joue, à lui tout seul, une symphonie complète.

La couleur, le taux de ses vibrations et leur fréquence font aussi que chaque pierre émet un son qui lui est particulier. La sonorité des pierres possède un grand pouvoir curatif. Le cristal de quartz, puissant récepteur et émetteur de l'énergie électrique, est utilisé pour ses vibrations de haute fréquence dont l'effet est d'élever la conscience à un niveau supérieur.

La musique des cristaux et des pierres pourrait inspirer des musiciens doués à travailler avec des thérapeutes en vue d'expérimenter une nouvelle forme de musicothérapie. Il est maintenant prouvé que la musique peut calmer, guérir le corps physique et transformer, par induction, les états émotionnels de l'âme et de l'esprit.

La musique est un art qui,
En pénétrant tout au fond de notre âme,
Arrive à nous convaincre de la
Nécessité d'être vertueux.

Platon

L'ARC-EN-CIEL ET LES SEPT RAYONS LUMINEUX

L'ARC-EN-CIEL

De par la beauté et la nature spirituelle des sept rayons lumineux, l'arc-en-ciel nous révèle un merveilleux mystère. Dans l'émanation de sa Lumière se concentre le pouvoir intégral des forces dynamiques ; celles-ci représentent la puissance de l'Être Absolu.

L'arc-en-ciel est la proclamation cosmique de la divinité inhérente à chacun de nous. Les splendides couleurs du prisme nous rappellent que la gamme des coloris a pour but d'élever, d'ennoblir et de spiritualiser notre vie. Communier avec l'âme de la couleur nous hisse au-dessus des contingences de la matière et nous conduit jusqu'à l'espace cosmique infini et universel de la Lumière.

Le dessein de l'arc-en-ciel est de nous convaincre que la vie humaine peut évoluer et trouver la voie qui la conduira à l'éternité. Les sept notes de notre gamme correspondent aux sept tonalités cosmiques des rayons de l'arc-en-ciel, ces rayons qui relient le Ciel à la Terre, pareils à des chemins lumineux dont la beauté nous invite à entreprendre l'ascension de l'Infini.

Dans la tradition ésotérique yogi, il existe un état qui se nomme le « corps arc-en-ciel ». Après des années de pratique assidue, le corps physique est transmué en un corps rayonnant et glorieux qui est l'équivalent du corps christique. Ce corps de gloire permet au maître qui le possède d'apparaître et de disparaître à volonté sur tous les plans d'existence dont l'Univers est composé.

LES RAYONS LUMINEUX

Les rayons lumineux sont des forces spirituelles qui émanent de la Grande Lumière Blanche. Ils sont en perpétuel mouvement vibratoire, non seulement à la surface de la Terre, mais également autour du globe terrestre qu'ils encerclent inlassablement de leurs inépuisables courants d'énergie. Ce sont ces mêmes rayons qui enveloppent et pénètrent le corps de tout être humain en un incessant mouvement circulaire, descendant le long du côté gauche (négatif) et remontant le long du côté droit (positif).

La source de nos facultés se trouve dans l'énergie produite par les vibrations des couleurs qui, chacune, ont une fonction spécifique et un rôle général prédéterminés. Tout être humain s'incarne sous l'influence d'un rayon lumineux particulier et il utilise ou subit le pouvoir des six autres.

Le point focal des rayons et de leurs vibrations se situe dans l'aura, cette radiation lumineuse qui enveloppe toutes les créatures. Nous devons nous souvenir que nous sommes constamment entourés de couleurs. Leur mission est cosmique et elles détiennent une force vitale extraordinaire. Cette force agit à travers nous, en nous, sur chaque cellule, chaque nerf, chaque glande et chaque muscle. Elle illumine notre aura et irradie notre être. L'essence de la couleur est la spiritualité.

LA TRINITÉ DES COULEURS PRIMAIRES

La Source (ou Soleil) contient en elle pratiquement tout ce qui compose la Terre. Les couleurs du spectre indiquent la présence des métaux et des gaz. Suivant ce qu'elles « sont », certaines couleurs sont appelées thermiques, d'autres froides ou électriques.

Il existe trois couleurs primaires, fondues dans la Lumière blanche : le *rouge*, le *jaune* et le *bleu*. Ces trois couleurs correspondent aux trois éléments de base qui sont l'hydrogène, le carbone et l'oxygène. Ce pouvoir trinitaire agit directement sur la croissance et le développement de l'être humain, aussi bien physiquement que mentalement et spirituellement.

A son départ du Ciel, le « moi » (ego) se manifeste par une lumière bleue. Au cours de la première étape de sa descente vers la naissance physique, cette lumière se transforme en une étincelle jaune qui, au moment où commence la seconde étape aboutissant à l'incarnation terrestre, se change en lueur rouge.

Le rayon bleu, rafraîchissant, apaisant, pénètre dans le corps par le centre spirituel de la couronne (chakra n° 7) apportant à l'être humain la connaissance de sa condition divine.

Le rayon jaune stimule le développement mental en agissant directement sur le cerveau.

Le rayon rouge, thermique, fournit l'énergie physique au corps humain et y pénètre grâce à la respiration.

On peut donc affirmer que

nous voulons en *bleu* = volonté
nous pensons en *jaune* = sagesse
nous ressentons en *rouge* = action

Lorsque le bleu est en harmonie avec le jaune et le rouge, notre corps et notre esprit sont en paix.

De cette trinité naissent les couleurs secondaires :

orange : combinaison du *rouge* et du *jaune*
vert : combinaison du *jaune* et du *bleu*
indigo : combinaison de l'*orange*, du *vert*, du *bleu* et du *pourpre*
violet : combinaison du *rouge* et du *bleu*

Les mystères du cosmos nous sont révélés par la compréhension du spectre et des propriétés de chacun des sept rayons qui le composent. C'est de la même manière que nous devons comprendre la nature des pierres et leur pouvoir curatif. Chaque pierre possède en effet en elle les vibrations du rayon lumineux avec lequel elle est accordée. La correspondance existant entre les rayons lumineux et les chakras, ainsi que la liste des pierres qui leur sont associées sont données plus loin.

L'étude et la compréhension totale des couleurs sont la base indispensable à l'utilisation des pierres dans le but de soigner et de guérir l'être humain. Il est possible, par exemple, d'associer les couleurs primaires de la manière suivante :

Bleu - Spiritualité - Toutes les pierres bleues : saphir bleu, lapis-lazuli, etc.

Jaune - Sagesse - Toutes les pierres jaunes : ambre, topaze, etc.

Rouge - Vitalité - Toutes les pierres rouges : corail, rubis, etc.

LES SEPT CHAKRAS, LEURS RAYONS LUMINEUX ET LEURS PIERRES

1er chakra : bas de la colonne vertébrale
Couleur : rouge
Pierres : toutes les pierres rouges (rubis, corail, jaspe rouge, grenat, pierre de sang)

Le rouge est le symbole de la vie, de la force, de la vitalité et de la nature physique de l'être humain. L'expérience a prouvé que des plantes placées sous un globe rouge poussent quatre fois plus rapidement que celles exposées à la lumière normale. Par contre, leur croissance s'effectue plus lentement si elles sont sous un globe vert ou bleu. Le rouge stimule donc la vitalité, alors que le vert et le bleu ralentissent l'activité énergétique.

Dans la nature, le rouge est associé au feu et à la chaleur. L'être humain « voit rouge » lorsqu'il est sous le coup de la colère ou d'une violente passion. Le rouge du feu terrestre se transmue en jaune doré, couleur de la pure essence spirituelle, celle du Feu Divin.

L'utilisation de la couleur rouge donne d'excellents résultats dans le traitement des maladies causées par une déficience dans le sang, comme l'anémie par exemple. Elle agit également avec succès dans les cas de mauvaise circulation du sang, d'amaigrissement anormal, de malnutrition, de dépression et de léthargie.

Le rouge possède une vibration qui engendre la chaleur. C'est la couleur dominante chez les peuples primitifs. Le rouge rosé est la couleur de l'harmonie universelle.

2e chakra : la rate
Couleur : orange
Pierres : toutes les pierres orange (opale de feu, jaspe orange, cornaline)

L'orange est le symbole de l'énergie. C'est une couleur chaude, positive, stimulante, qui facilite l'assimilation des aliments et régularise la circulation sanguine. Elle est essentielle pour ce qui est de la vitalité et de la santé. L'orange est la combinaison du rouge et du jaune et l'on sait que le rouge = personnalité, le jaune = sagesse. Cette couleur nous aide à contrôler les mouvements de colère et les réactions négatives.

3e chakra : le plexus solaire
Couleur : jaune
Pierres : toutes les pierres jaunes ou dorées (topaze, citrine, ambre)

Le jaune est le symbole de l'esprit et de l'intellect, de l'intelligence supérieure et de la sagesse, du plan mental. Sa vibration positive et magnétique produit sur le système nerveux un effet tonifiant.

Le plexus solaire est le cerveau de notre système nerveux. Il est notre Soleil interne, notre « centrale électrique » personnelle qui doit être en parfait état de fonctionnement. La couleur jaune est précisément le régulateur parfait de ce système nerveux qui, s'il est défectueux, empêche le plexus solaire de distribuer l'énergie de façon cohérente.

Les personnes dont les corps absorbent trop de rayons rouges sont habituellement maigres et agitées. Celles qui assimilent trop de rayons bleus sont au contraire flegmatiques et ont tendance à l'embonpoint. Les rayons jaunes, eux, ont le pouvoir de neutraliser les effets des rayons rouges et des rayons bleus.

La couleur jaune apporte une contribution appréciable dans la guérison du diabète et aide à combattre efficacement la constipation.

4e chakra : le cœur
Couleur : vert
Pierres : toutes les pierres vertes (émeraude, tourmaline verte, malachite, jade, chrysoprase, dioptase, péridot, aventurine, agate mousse, jaspe vert)

Le vert est le symbole de l'harmonie, de la sympathie, de la créativité, de la santé et de la richesse de nature. Sa vibration apaise et équilibre le système nerveux. Combinaison du jaune (l'âme) et du bleu (l'esprit), quatrième couleur du spectre, le vert est le pont entre les trois premières couleurs, en relation avec le plan physique, et les trois dernières couleurs qui, elles, s'apparentent au plan spirituel.

Le vert est donc le centre même du spectre. Comme celle de la mélodie, sa vibration se déplace horizontalement, matérialisant ainsi l'espace, alors que la vibration du bleu se déplace verticalement, à l'image de l'harmonie qui représente la notion de temps. De par la direction de leur déplacement, le vert et le bleu forment la croix, symbole de la vie.

Dans la nature, le rayon vert irradie de toutes parts (forêts, champs) et son effet bienfaisant peut rétablir un système nerveux défaillant en lui permettant d'acquérir de nouvelles énergies.

Étant donné la grande influence qu'elle a sur le cœur, la couleur verte peut être utilisée avec succès dans le traitement des problèmes cardiaques et des affections vasculaires.

5e chakra : la gorge (glande thyroïde)
Couleur : bleu
Pierres : toutes les pierres bleues (saphir bleu, lapis-lazuli, topaze bleue, sodalite)
toutes les pierres bleu-vert (aigue-marine, turquoise, chrysocolle)

Le bleu est le symbole de l'inspiration, de la dévotion, de l'infini et des aspirations religieuses. Cette couleur élève, exalte et inspire. Sa vibration engendre le calme, la paix intérieure et fait naître le sommeil.

Le bleu est relié à la gorge, qui est le centre de la parole, et la gorge est le « passage » qui permet à notre être intérieur de se manifester et d'entrer en contact avec le monde extérieur. C'est grâce à la parole que nous pouvons traduire nos émotions et nos sentiments.

La gorge est également le centre de la pureté.

Le rayon bleu possède un très grand pouvoir curatif. Il est très efficace dans le traitement des blocages de la parole et des maladies de la gorge : inflammation, saignement interne et crispation.

Comme cette couleur est associée au manque de chaleur, ses propriétés sont sédatives et astringentes. Alors que la force du bleu foncé est d'une très grande puissance, le bleu pâle, lui, oriente vers une haute inspiration morale.

6e chakra : Troisième œil (glande pituitaire)
Couleur : indigo
Pierres : toutes les pierres indigo (saphir indigo, azurite)

L'indigo est le symbole de la frontière mystique, de la réalisation spirituelle et de la sagesse maîtrisée grâce à la connaissance de soi-même. Cette couleur nous aide à découvrir la vision interne et externe en favorisant l'ouverture graduelle du Troisième œil et du subconscient. Grâce à elle, les souvenirs de notre âme émergent de leur profond sommeil.

Le rayon indigo est le pont qui relie le « limité » à l'infini. Il chasse les éléments négatifs de notre conscience et nous permet de réorganiser nos forces vives de façon positive. Il nous guide et nous prête assistance tout au long du voyage intérieur que nous faisons en quête de la connaissance cosmique et de la vérité.

L'utilisation de l'indigo est particulièrement efficace dans le traitement des maladies mentales ainsi que dans la recherche scientifique et philosophique.

7e chakra : couronne, sommet de la tête (glande pinéale)
Couleur : violet
Pierres : toutes les pierres violettes (améthyste, fluorite)

Le violet est le symbole du mystère spirituel. Cette couleur est l'incarnation la plus élevée et la plus subtile de la Lumière. Elle correspond aux éléments les plus nobles de notre nature.

Le rayon violet est la couronne du spectre. Formé par la combinaison du rouge (matière) et du bleu (esprit), il provoque dans notre évolution une transformation qui peut être douloureuse. Ses tons les plus foncés sont associés aux chagrins et à la tristesse. Le pourpre symbolise la réalisation spirituelle, tandis que les nuances lilas clair représentent la conscience cosmique et l'amour de l'humanité. Le violet bleuté s'accorde avec l'idéalisme transcendental.

Dans les applications curatives, le violet fait merveille dans le traitement de l'insomnie et des maladies nerveuses provenant de troubles mentaux.

LA PUISSANCE DE LA COULEUR

Dans les temps très anciens, en Egypte et en Grèce existaient des temples dédiés à la couleur. Ils comprenaient sept chambres dont chacune était « habitée » par un rayon lumineux. Ces lieux étaient utilisés à des fins thérapeutiques, aussi bien sur le plan physique que spirituel.

Les civilisations de l'antiquité avaient compris le pouvoir des couleurs et savaient en tirer profit. Aujourd'hui, nous devons redevenir conscients de l'effet spécifique que chacun des sept rayons lumineux peut exercer sur les sept centres vitaux (chakras) de notre corps physique. Chaque couleur a une fonction bien déterminée, qu'elle est destinée à remplir pour que notre vie se développe harmonieusement.

Comme toute autre forme d'énergie, la couleur est à la fois positive et négative. Il est d'une extrême importance de comprendre parfaitement ses propriétés biologiques et psychologiques avant de s'aventurer dans un traitement. En effet, le « soignant » doit les avoir assimilées à fond pour ensuite être capable de les adapter au « soigné », c'est-à-dire en fonction des nécessités du patient et du moment auquel a lieu le traitement. Aujourd'hui par exemple, je peux très bien avoir besoin d'une pierre rouge pour me redonner de la vitalité alors que, la semaine prochaine, ce sera à une pierre verte que j'aurai recours pour m'aider à m'harmoniser.

La couleur cosmique nous entoure en permanence. Elle nous permet de nous rendre compte qu'en nous élevant sur le chemin de la réalisation spirituelle, mentalement, moralement et physiquement, nous gravissons en même temps le sentier de la conscience cosmique, en développant notre sensibilité à la Lumière, à la couleur et aux pierres.

CLEF D'UTILISATION DES COULEURS ET DES PIERRES

Les indications qui suivent vont vous permettre d'utiliser les rayons lumineux et les pierres qui leur sont liées, en vue de rétablir votre santé sur les trois plans : physique, mental et spirituel.

Plan physique

Apaisement	=	toutes les pierres vertes
Revivification	=	toutes les pierres orange
Inspiration et stimulation	=	toutes les pierres rouges et roses

Plan mental

Apaisement	=	toutes les pierres indigo et vertes
Revivification	=	pierres vert émeraude et lapis-lazuli bleu roi
Inspiration et stimulation	=	pierres jaunes et dorées telle la topaze, et violettes telle l'améthyste

Plan spirituel

Apaisement	=	pierres bleu pâle telles la topaze bleue ou le saphir bleu
Revivification	=	pierres dorées ou pierres roses
Inspiration et stimulation	=	toutes les pierres violettes et les pierres pourpres

Lors d'une méditation, la couleur des pierres peut aussi aider à accélérer l'activité des centres vitaux (chakras) qui correspondent aux glandes pituitaire et pinéale. Un saphir indigo se révèle souvent fort utile lorsqu'il s'agit de « réveiller » la glande pituitaire, alors qu'une améthyste contribue à ouvrir les vannes de l'inspiration par son action directe sur la glande pinéale.

Le chapitre traitant de la propriété des pierres (p. 75) explique comment utiliser chaque pierre en fonction du rayon lumineux et du chakra avec lesquels elle est en corrélation.

LE BLANC ET LE NOIR : TOUTES LES COULEURS ET AUCUNE

Le blanc et le noir sont les symboles de l'activité créatrice. Le merveilleux mystère du blanc et du noir fait partie des plus grands secrets de l'Univers. Les anciens alchimistes ont étudié avec passion les forces opposées issues du blanc et du noir ; ils nous ont communiqué les résultats qu'ils avaient obtenus par leur fusion. D'après eux, la polarité est l'équilibre parfait entre ces deux contrastes. La vérité est polarité. Lorsque nous aurons atteint cet équilibre, une nouvelle Terre verra le jour. Une fois le blanc et le noir fusionnés, l'évolution humaine aura atteint son but : le plan divin.

Le blanc (yang) possède en lui toutes les couleurs et représente le masculin, l'essence de la vie divine. Il est actif, positif, révèle tout, est dynamique, stimulant et symbolise le Jour Cosmique, l'Être Suprême. La puissance du rayon blanc a davantage de rapport avec l'illumination spirituelle qu'avec la guérison physique. Son centre de convergence se trouve au sommet du crâne et sa lumière nous pénètre à travers la glande pinéale.

Le rayon blanc est utilisé comme protection à la fois du corps physique et du corps mental. Plusieurs cas sont rapportés de personnes ayant bénéficié d'une protection miraculeuse grâce à une aura de Lumière blanche. Celle-ci, en les enveloppant entièrement, les a sauvées d'une situation désespérée.

Les pierres blanches sont la pierre de lune, l'opale, la perle.

Le noir (yin) symbolise le féminin et la forme que l'essence divine doit prendre pour se manifester et se rendre visible sur le plan physique. Il est passif, négatif, créateur ; il est la racine terrestre de l'infini, le non manifesté, l'inexploré. Il représente la nuit cosmique, le mystère de l'incarnation, l'abstrait. La vérité est révélée à ceux qui ont le courage de pénétrer dans la Grande Noirceur, dangereux territoire qui précède la Lumière de l'éternité : le vide. *L'obscurité à l'intérieur des ténèbres est la porte qui ouvre sur l'explication du Mystère* (enseignement du Tao).

Le noir est gouverné par Saturne, la planète gardienne du mystère. Et qu'est donc le « mystérieux » sinon ce qui n'a pas encore de forme : l'inaperçu, l'invisible ?

Les pierres noires sont la tourmaline noire, l'onyx, le jais, l'obsidienne.

LES SIGNES DU ZODIAQUE ET LEURS PIERRES

Le corps humain est une constellation créée par le même pouvoir que celui qui a donné forme aux étoiles.

Capricorne

Janvier
Pierres blanches et pierres noires

C'est dans ce signe que le mystère de la nuit et la gloire du jour fusionnent. Le Capricorne représente la traversée du pont des ténèbres avant d'atteindre le rayonnement de la Grande Lumière Blanche. Vaincre son animalité est le but qu'il doit toucher.

Verseau

Février
Pierres bleues, transparentes

Les natifs de ce signe sont guidés et élevés vers des vérités encore inconnues. Ils favorisent la communication et le travail de groupe. Leur idéal est l'unité dans le tout et le tout dans Un.

Poissons

Mars

Pierres bleu tendre et pierres indigo

Ce signe symbolise la lutte menée par l'esprit pour arracher l'humanité aux griffes de l'avidité et de l'égoïsme. Les natifs de ce signe sont appelés à payer de leur personne et à pratiquer l'amour du prochain, seuls moyens pour eux d'obtenir la victoire.

Bélier

Avril

Pierres rouges

La note dominante de ce signe est l'activité. Celle-ci se manifeste par un sens de l'initiative très développé et par beaucoup d'ambition. La créativité, constante sur le plan matériel, donne aux natifs de ce signe le goût de l'aventure spirituelle. On les rencontre souvent à l'avant-garde de découvertes susceptibles d'aider leurs congénères humains à mieux vivre. Toutes les gammes de rouge, du plus pâle au plus foncé, leur réussissent.

Taureau

Mai

Pierres jaunes et pierres roses

Amour et sagesse sont les mots clés de ce signe. Le vrai rôle de la sagesse est d'illuminer l'esprit en se servant de la puissance de l'amour. Les natifs de ce signe sont en harmonie avec la nature. Ils ont besoin de sentir que leur amour est utile. La persévérance et la patience font partie des qualités du Taureau qui s'ouvre à la spiritualité et qui, à force d'amour, voit se transformer égoïsme et possessivité en désir de partager. Ce chemin parcouru, la paix, l'abondance et la beauté deviennent la signature de l'âme d'un Taureau illuminé.

Gémeaux

Juin

Pierres violettes

Le signe des Gémeaux est celui de la dualité. Il symbolise la vie et la mort, la joie et la peine, la santé et la maladie, la richesse et la pauvreté, la lumière et l'obscurité. Protéger et transmuer le « serpent de feu » à l'intérieur du corps physique est le moyen d'apprendre et de dépasser la loi de l'alternance et de la mort. Ce dépassement de soi est la recherche spirituelle dévolue à ce signe.

Cancer

Juillet

Pierres vertes

Le Cancer est souvent désigné comme le « portail de la vie » : c'est dans les eaux mystiques que naissent les graines de la vie. Le vert est la couleur de la nature ; elle est dominante sur notre planète. Vie et amour sont synonymes dans les royaumes spirituels. Sur tous les plans de la manifestation de la vie, le Cancer, grâce au pouvoir magique de l'amour, doit enfanter. Voilà de quelle manière il délivre son message et comment il poursuit son évolution.

Lion

Août

Pierres dorées et orange

C'est le Soleil qui répand l'amour sur la Terre et son rayon est d'or. L'or est aussi la manifestation du rayon orange (combinaison du rayon jaune de la sagesse et du rayon rouge de l'action) qui symbolise l'action inspirée par la sagesse. Le cœur est le Soleil central qui éclaire la vie humaine. Le Divin et l'humilité sont les principaux sujets de méditation réservés aux natifs de ce signe. Mettre à mort le « lion » de l'*ego*, voilà la tâche à laquelle ils doivent s'atteler. Le processus est long et ardu, plein de conflits intérieurs qui les amènent peu à peu à comprendre que l'amour est l'accomplissement de la Loi. Lorsque les nations et les individus mettront enfin en pratique, parce qu'ils l'auront comprise, cette loi d'amour, alors seulement le Nouvel Age pourra commencer.

Vierge

Septembre
Pierres pourpres

Le symbole du signe de la Vierge est la raison qui se transforme, d'elle-même, en sagesse. Quant à elle, la sagesse est le produit de la connaissance et de la compréhension. Savoir, uniquement, est insuffisant. Il faut également comprendre et... comprendre la sagesse, c'est allier le savoir intellectuel à l'intelligence du cœur.

Balance

Octobre
Pierres jaunes

La Balance est un signe d'air qui se rattache à l'esprit. L'équinoxe d'automne est un tournant important dans la nature. Ce signe représente l'épreuve à laquelle nul ne peut se soustraire — les actes de l'année doivent être soigneusement pesés — ainsi que la conquête du « moi » inférieur, séparateur. Les natifs de ce signe doivent apprendre à déployer les ailes de l'amour afin de s'élever vers l'Unité.

Scorpion

Novembre
Pierres rouge foncé, transparentes

Grâce à sa forte dualité qui lui permet de connaître aussi bien les abîmes les plus profonds que les sommets les plus vertigineux, le signe du Scorpion est l'un des plus puissants. La transmutation est la clé de ce signe qui doit se dépouiller de sa nature animale afin de renaître à un niveau de conscience supérieur. C'est en apprenant à dominer ses instincts que l'on acquiert une très grande force.

Sagittaire

Décembre
Pierres bleu foncé

Le Centaure, moitié homme moitié cheval, à la fois ange et démon, symbolise l'être qui a compris et qui accepte sa dualité. La flèche, pointée vers le ciel, exprime le désir d'accéder au royaume de Dieu. Les natifs de ce signe possèdent de nobles aspirations et un grand idéalisme. Le Sagittaire représente le nombre 9, le nombre de l'initiation et de la grande quête spirituelle.

LES QUATRE ÉLÉMENTS DU ZODIAQUE

Le Feu, l'Air, l'Eau et la Terre sont les quatre « véhicules » dont nous nous servons tout au long de notre évolution.

Feu — le Bélier (*rouge*), le Lion (*orange-doré*) et le Sagittaire (*bleu foncé à bleu violacé*) représentent la flamme pure de l'esprit.

Air — les Gémeaux (*violet foncé*), la Balance (*jaune*) et le Verseau (*turquoise et indigo*) représentent les pouvoirs de l'esprit.

Eau — le Cancer (*vert, argent*), le Scorpion (*rouge*) et les Poissons (*bleu*) représentent les émotions.

Terre — le Taureau (*jaune* et *rose*), la Vierge (*violet clair*) et le Capricorne (*indigo, noir* et *blanc*) représentent le temple du corps physique.

Toutes les personnes nées sous l'influence des quatre premiers rayons lumineux (rouge, orange, jaune et vert) puisent leur énergie directement des vibrations de la Terre. Dans les cas de grande fatigue ou de maladie, voici ce qui leur est conseillé : capter par l'intermédiaire de la plante des pieds, des jambes et de la base de la colonne vertébrale l'énergie qui se trouve à la surface de la Terre. Le contact avec la nature aura sur eux un effet vivifiant et régénérateur.

Toutes les personnes nées sous l'influence des trois derniers rayons lumineux (bleu, indigo et violet) tirent leur énergie des courants électromagnétiques qui circulent autour de la Terre.

Souvenons-nous de cette règle et harmonisons-nous avec le rayon lumineux qui est la force même de notre vie sur tous les plans.

COMMENT VISUALISER UN ARC-EN-CIEL

Commençons par nous « voir » entièrement entourés de Lumière Blanche. Cette Lumière, nous la respirons, nous nous baignons en elle, la retenons, devenons Un avec elle.

Puis, des entrailles de la Terre, montent vers nous des vagues de couleurs. Tout d'abord, nous voyons et nous sentons dans notre premier chakra (base de la colonne vertébrale) le Feu primal, le *rouge* du sang, de la vie et de la création. Dans sa lente ascension vers notre deuxième chakra (rate), le rouge devient *orange*, la couleur du Soleil couchant. Nous percevons maintenant l'énergie orange du Feu de Shiva, qui se change en un *jaune* étincelant quand il pénètre dans notre plexus solaire, le troisième chakra. Ce Soleil de midi nous donne une grande puissance. C'est notre propre Soleil qui brille de tous ses rayons lumineux au centre même de notre corps. Nous sommes conscients de ce que nos trois premiers chakras sont reliés entre eux par une même force issue de la Terre.

C'est alors que nous voyons naître, dans le cœur de notre quatrième chakra, le *vert* émeraude de la croissance et de la créativité. Cette couleur nous fait penser au lien puissant qui nous unit aux arbres et aux plantes, notre famille végétale. Nous sommes couchés sur une prairie verte, écoutant le chant des oiseaux. Tout est calme et harmonie. Nous nous sentons en paix avec nous-même, pleins d'une grande sérénité.

Ensuite, venant du Ciel, un rayon *bleu* pénètre lentement à l'intérieur de notre gorge, notre cinquième chakra. Il vient nous rappeler l'immensité du cosmos et l'infinité de l'Esprit. Le rayon bleu purifie notre gorge et nos paroles. Puis, un rayon *indigo* oblige peu à peu notre Troisième œil à s'ouvrir afin de nous rendre aptes à voir au-delà du royaume de la réalité et à prendre conscience de la vérité. C'est là le rôle de notre sixième chakra.

Enfin, lorsque nous sommes face à face avec la vie, un rayon *violet* illumine le sommet de notre crâne et, par notre septième chakra, envahit tout notre être, nous faisant saisir ainsi notre union avec le cosmos. Ce rayon violet, mélange de la Terre et du Ciel, nous permet de comprendre que nous sommes à la fois corps et esprit.

Grâce à la réalisation lumineuse qui se crée dans notre être, nous subissons une lente transfiguration. Notre « moi » fusionne avec le Tout. Nous nous ouvrons enfin à la Lumière. Nous découvrons que notre corps est un véritable arc-en-ciel. Le voir ainsi, brillant de toutes ses couleurs, lumineux comme un corps céleste, nous transporte de joie.

Les propriétés sans pareilles des rayons lumineux sont les clés qui nous ouvrent les portes de la connaissance et de la sagesse. En prenant conscience de la puissance merveilleuse qui nous entoure, nous devenons enfin capables de « reconnaître » les forces qui sont en nous. Devenons des « êtres-soleil », accordés au diapason de l'Amour rayonnant. Créons un monde neuf, un Nouvel Age de la Lumière dans lequel l'harmonie, la beauté et la paix seront à jamais nos guides lumineux.

LE RÈGNE MINÉRAL

Obéissant aux ordres de la Lumière,
Je reviens au royaume des pierres
Pour vous apporter des trésors de sagesse.
Ancien chaman

MODALITÉ DU RÈGNE MINÉRAL

Trois grands « royaumes » existent dans la nature : le règne *minéral*, le règne *végétal*, le règne *animal*.

Pour devenir des êtres humains à part entière, il est sage et important, pour chacun de nous, de redécouvrir la puissance vitale, malheureusement oubliée ou méconnue, qui habite le règne minéral.

Toute forme d'énergie provient de la Grande Lumière Blanche et tout ce qui existe vibre. Parmi les vibrations qui émanent des choses vivantes, ce sont celles des minéraux qui sont les plus basses.

Le règne minéral est le corps de la Terre et tout ce qui pousse sur elle provient du royaume des pierres. Nous provenons, nous aussi, de la Terre puisque nous sommes faits des mêmes éléments que ceux qui la composent.

Dans la recherche que nous avons engagée sur l'âme humaine, nous avons découvert que la matière a également été dotée d'une âme.

Les pierres sont des entités importantes : elles vivent, respirent, transmettent, réagissent, brillent et palpitent. Leurs vibrations et leurs fréquences vibratoires agissent sur notre être et leurs effets peuvent être utilisés pour équilibrer, transformer et accorder notre corps, notre âme et notre esprit.

ANCIENS RAPPORTS ET MESSAGES

Lorsque nous étions enfants, nous subissions d'instinct le magnétisme des pierres, au point d'en rapporter à la maison avec l'intention de les garder, de les regarder et... de leur parler. Certains parents, bien sûr, s'empressaient de les jeter — quelle idée de ramasser des pierres ! — rompant ainsi, à leur insu, une relation intime entre nous et notre mère, la Terre.

Avec l'âge, nous avons éprouvé le besoin de purifier nos corps et nos âmes. Ce faisant, nous avons redécouvert les liens sensibles qui nous rattachent à la nature. C'est en effet à nous, humains, en tant qu'êtres responsables, de nous mettre en harmonie avec les éléments, d'équilibrer notre facteur vital en fonction de leur puissance et de renouer avec les membres de la grande famille dont nous faisons partie : avec notre mère, la Terre, notre père, le Ciel, notre grand-père, le Feu, et notre grand-mère, l'Eau.

Les pierres sont les manifestations de la Lumière et de la vie : couleurs, structures, rayonnement, transparence et clarté. Pour moi, leur beauté est magique, mystique, mystérieuse. Elles sont les étoiles de la Terre à qui la vie a fait don de toutes les qualités de la Lumière. La luminosité de la pierre est la preuve de sa grande évolution. Dans le règne minéral, la croissance en spirale existe, comme si les pierres, à l'instar des plantes, cherchaient en se rapprochant de la Lumière à devenir de plus en plus parfaites, de plus en plus radiantes.

Les pierres nous adressent de nombreux messages qui, lorsqu'on sait les déchiffrer, sont autant de leçons de beauté et de luminosité. Elles sont la transparence de la Lumière — la matière « limpide » — et si elles ont accepté de se cristalliser, c'était pour nous offrir leurs formes.

Nous aussi sommes des formes vivantes qui créent d'autres formes. Les pierres sont nos amies, nos frères, nos sœurs. Elles ont des pouvoirs cachés et peuvent nous aider à devenir meilleurs. Ensemble nous pouvons créer un monde harmonieux car le mystère de l'arc-en-ciel réside à l'intérieur de chacun de nous.

LA PIERRE PHILOSOPHALE : PRIMA MATERIA

La *Prima materia* est le bien commun de l'humanité. Son symbole est la Pierre philosophale, la substance originelle, le principe suprême du monde de la matière. Tous les éléments et phénomènes existants ne sont autres que des variantes de cette même force ou substance. Chaque « élément variante » peut être ramené à sa pureté originelle en le débarrassant des multiples qualités qui s'y sont fixées au cours de sa différenciation et de sa spécialisation. Par conséquent, si nous réussissons à retrouver la pureté et la forme de cette première substance, nous aurons découvert le secret du véritable pouvoir créateur. Cette technique basée sur la mutabilité de tous les éléments et de tous les phénomènes porte un nom : *transmutation.*

La structure que l'on observe à l'intérieur des pierres (dessins, veines, etc.) nous raconte, couche par couche, l'histoire de leur croissance et de leurs transformations successives s'étalant sur des milliers d'années. Les pierres nous apprennent que la vie est changement et que l'évolution est la grande Loi cosmique. Nous n'avons pas été créés autrement que les pierres et cela est bien suffisant pour qu'il existe, entre elles et nous, un point de rencontre, de compréhension.

La cristallisation des pierres est due à la chaleur et à la pression qui règnent au cœur de la Terre et leurs pouvoirs leur viennent des différentes planètes par le biais des rayons lumineux. Chaque pierre est accordée au diapason d'un rayon particulier et reçoit une fonction qu'elle doit assumer dans un but bien précis.

La formation des pierres est un processus sacré qui reste un mystère malgré les explications laborieuses que les scientifiques ont tenté de nous donner. De toute façon, connaître les différentes substances chimiques qui composent les pierres est insuffisant pour expliquer leurs propriétés, leurs pouvoirs. Le mystérieux comme le sacré font partie de l'Univers et pour croire au mystère il faut en faire personnellement l'expérience.

CHOIX D'UNE PIERRE

Il est bon, je crois, de rappeler que l'important est d'ouvrir son cœur aux pierres. Faites confiance à votre intuition et à vos sentiments. N'essayez pas de « raisonner » votre choix. Peut-être avez-vous envie de posséder une pierre correspondant à votre signe zodiacal, mais ne vous limitez pas à ce seul choix. Laissez votre « moi » profond vous guider vers les pierres dont vous avez besoin *sur le moment* à cause de leur couleur et de leurs propriétés. Prenez le temps de les regarder et, parmi elles, il s'en trouvera une ou deux qui attireront plus particulièrement votre attention. Dans ce cas-là, ce seront elles qui auront besoin de venir à vous. Plus loin, je donne des explications sur la manière de les utiliser pour en retirer un maximum de bienfait.

NETTOYAGE D'UNE PIERRE

La pierre que vous avez choisie ou qui vous a choisi(e) doit être nettoyée, lavée, purifiée. A cause de sa grande sensibilité, elle porte en elle des vibrations et des empreintes qu'il faut éliminer, spécialement si cette pierre vous a été offerte par une personne malade ou décédée. Ce ne sont pas les pierres elles-mêmes qui peuvent vous nuire, mais les pensées des autres, dont elles sont imprégnées et qui risquent de présenter des inconvénients.

Vous pouvez très bien laver votre pierre dans de l'eau claire, en y ajoutant éventuellement un peu de sel marin. Pour un nettoyage complet, laissez-la tremper de six à huit heures dans cette eau salée.

Si votre pierre a perdu de son brillant, il faut la faire repolir, à moins que vous ne la fassiez retailler. Si vous l'enterrez pendant une nuit entière, vous allez la recharger en énergie terrestre. Si vous l'exposez au soleil après l'avoir lavée, elle se chargera d'énergie cosmique.

En général, les pierres apprécient beaucoup ce genre de sollicitude. Le Soleil est une grande source d'énergie et les aide à se purifier. Alors faites leur prendre régulièrement un bon bain de soleil et ayez des pensées positives car les pensées négatives vous reviendront, comme des boomerangs. Il existe de nombreuses histoires, voire des légendes, au sujet de pierres maléfiques. Or, jamais une pierre, quelle qu'elle soit, n'engendre des énergies négatives ; ces dernières ne sont produites que par les pensées nuisibles et les mauvaises intentions de la personne qui porte la pierre en question.

Une fois votre pierre nettoyée et exposée au Soleil, dites-vous qu'elle est prête à vous aider de toute la force de sa lumière. Elle est votre alliée et votre amie. Remerciez-la, utilisez-la, portez-la et dites-lui que vous l'aimez. Elle et vous allez évoluer ensemble. Que ce soit pour le meilleur !

VIEILLES ET NOUVELLES PIERRES

Certaines pierres sont vieilles, d'autres sont jeunes. Il en est des pierres comme des âmes. La Terre crée constamment. J'ai souvent pleuré en visitant des mines car je supportais mal de voir notre mère, la Terre, violée par des humains avides qui n'avaient qu'une idée en tête : s'emparer de ses pierres précieuses. Un jour cependant, je reçus un message : les pierres sont des cadeaux que la Terre nous offre, cadeaux qu'il est de notre devoir de respecter, d'aimer et d'utiliser, pleinement conscients de ce que nous faisons.

Pour chaque pierre que la Terre nous donne, elle en fabrique une autre dans son sein. Ainsi, l'équilibre est conservé. Ce travail constant de la Terre est la preuve qu'elle souhaite participer à notre développement jusqu'à l'illumination finale. La Terre est riche et sait donner. Devant tant de générosité, notre seule attitude est de lui témoigner notre immense gratitude et de prendre conscience de notre responsabilité face au règne minéral.

L'UNITÉ DANS LA DIVERSITÉ

Durant l'été 1983, j'ai été invitée à prendre part à la « Conférence mondiale sur le chamanisme et la guérison », à Alpbach, en Autriche. Ce fut un événement béni des dieux ! Le premier matin, en m'asseyant au milieu des chamans et des guérisseurs aux couleurs de peau variées, d'origines, de nationalités et de croyances différentes, mais *tous* radiants, j'ai fait la comparaison avec mes amies, les pierres, qui nous montrent que plusieurs couleurs peuvent briller ensemble sans se porter préjudice car l'Unité est dans le Tout. Tous les chemins convergent vers le même centre, toutes les vies vers la même Lumière car l'Unité est dans la Diversité.

Les chamans et les guérisseurs que j'ai rencontrés étaient porteurs de cette connaissance ancienne. Ils étaient prêts à la partager d'une manière positive et consciente. Tous étaient convaincus que l'être humain se doit d'adopter une attitude respectueuse à l'égard des éléments et de la grande famille de la

Terre, du Feu, de l'Air, de l'Eau et de l'Éther. Ils avaient compris et utilisaient les pouvoirs des pierres et m'encouragèrent vivement à poursuivre mes recherches.

Revenir aux racines mêmes de la vie, offrir la sagesse du passé aux générations actuelles — le présent et le passé intégrés dans le respect de la Loi —, telle est la responsabilité qui nous incombe à tous aujourd'hui.

Je suis plus vieux que le corps
Mais dans les yeux de l'opale de feu,
Dans la musique du cristal
Et dans le cœur du rubis,
Dans la semence de la perle
Et dans la langue du lapis,
JE REVIENS A LA VIE.

CRISTAL DE ROCHE, AUTRES CRISTAUX DE QUARTZ, DIAMANT

L'ESSENCE DU CRISTAL DE ROCHE

Le cristal de roche, connu également sous le nom de cristal de montagne, a été considéré par les civilisations anciennes et est toujours tenu aujourd'hui comme l'une des pierres les plus sacrées qui soit.

Il est l'essence même des rochers, l'expression la plus élevée du règne minéral. On le trouve dans les montagnes, soit, comme son nom l'indique, dans les roches. Il arrive qu'il soit plus clair et plus transparent que l'eau. Les objets s'y reflètent aussi nettement que dans un miroir. Il capte la lumière et réfléchit l'arc-en-ciel. Le cristal de roche est le symbole de l'énergie radiante de la Grande Lumière Blanche.

Si vous possédez un cristal de roche, allez le chercher, posez-le à côté de vous et, pendant que vous lisez ce chapitre, observez-le, « sentez »-le, nouez un dialogue avec lui.

POUVOIRS ET QUALITÉS DU CRISTAL DE ROCHE

Le cristal de roche est le symbole de l'homme se mirant dans son âme. Il représente notre lutte pour parvenir à la Lumière intérieure. Sa base est généralement dense, opaque, et au fur et à mesure qu'il croît (au prix d'innombrables combats), il devient de plus en plus transparent. Nous aussi, nous nous efforçons jour après jour d'éclaircir nos désirs et notre raison d'être.

La force du cristal de roche tient également à sa structure, à sa façon de croître et à son ambition, à partir du plus profond de la Terre, d'atteindre un jour la Lumière. Son sommet, c'est-à-dire le point où se rencontrent ses six côtés, évoque la pyramide et représente la force de la Trinité, doublée. Plus sa cime est pointue, plus son pouvoir curatif est puissant. Si trois de ses côtés se rejoignent parfaitement, il peut être utilisé comme un rayon laser.

Le cristal de roche agit comme un catalyseur, un conducteur d'énergie. Il est à la fois récepteur et émetteur. Il a la faculté d'harmoniser et d'équilibrer l'aura.

Les cristaux s'accordent automatiquement avec les vibrations humaines à cause de la grande affinité qu'ils ont avec l'esprit de l'homme. Ce dernier, en les portant sur lui ou en les touchant, peut entretenir avec eux des liens spirituels importants. N'oubliez pas de laver votre cristal et de le garder toujours propre afin qu'il puisse ainsi vous protéger pleinement de toutes les vibrations négatives provenant de l'extérieur.

UTILISATIONS DU CRISTAL DE ROCHE

Les utilisations du cristal de roche sont illimitées, aussi bien en matière de soins et de guérison que dans les domaines scientifiques et industriels.

Les savants de l'Atlantide et de la Lémurie, continents perdus, considéraient le cristal de roche comme un instrument d'une extrême efficacité à cause de la pureté de son rayon lumineux et de son pouvoir conducteur d'ultrasons. Ils l'employaient en électronique, comme nous le faisons de nos jours !

En Egypte, le cristal de roche avait sa place dans la construction des pyramides à cause de sa propriété de capter l'énergie solaire. Les Egyptiens l'utilisaient en toute connaissance de cause puisqu'ils savaient que sa structure obéit à la loi du triangle, loi que ce peuple a découverte et mise en pratique sur le plan matériel.

En Europe, durant la guerre, les cristaux servaient de système d'amplification. Lorsque les lignes étaient arrachées ou en dérangement, ils étaient placés à côté des fils pour maintenir la communication.

Pour les Indiens d'Amérique du Nord, le cristal de roche a toujours été la pierre sacrée, le symbole de la Lumière dans la Terre. Dans certaines tribus, le cordon ombilical du nouveau-né est coupé avec un cristal, geste qui établit les racines terrestres de l'enfant dès sa naissance. De plus, les Indiens gardent du cristal de roche dans leur demeure, le font intervenir dans les rites et cérémonies religieuses et l'enterrent avec les morts.

L'utilisation du cristal de roche à des fins ésotériques se retrouve, exactement de la même manière, dans la culture tibétaine. A l'instar des Indiens d'Amérique, les Tibétains ont saisi l'aspect sacré de la Terre et de ses pierres, de même que la signification et la force des éléments. Qu'il s'agisse d'un Indien ou d'un moine tibétain, par exemple, l'un et l'autre portent sur eux un cristal afin qu'il les protège et leur donne l'illumination. Ce cristal, les Indiens le portent autour du cou, placé dans un petit sac, dans lequel ils ajoutent parfois un morceau de corail ou une turquoise, des herbes et toutes sortes d'objets qui, à leurs yeux, possèdent des vertus magiques. Quant aux Tibétains, ils portent, eux aussi, un petit sac de cuir, mais autour de la taille ou à la cheville, qui contient un cristal, quelques pierres sacrées et un petit morceau de papier sur lequel est écrite une prière, sans doute un mantra.

Un champ de force de lumière et d'énergie entoure le cristal lui-même et sert, à celui qui porte la pierre, de protection sonique contre la négativité. Cette propriété agit, quelle que soit la dimension du cristal. Le passage des ions à travers sa structure moléculaire en fait une aide précieuse pour neutraliser l'état négatif de l'aura humaine — aussi bien celle des enfants que celle des adultes et des personnes âgées — et ceci n'importe où, que ce soit à la maison, au travail ou ailleurs.

Le cristal de roche peut devenir le guérisseur privé, personnel, de notre corps et en même temps tranquilliser notre âme et transformer notre esprit. Il nous aide à devenir intuitifs, à voir la Lumière dans les ténèbres... jusqu'à devenir notre propre lumière. Placé sur le corps, il débloque les centres vitaux et rétablit le passage de l'énergie.

COMMENT SE SOIGNER SOI-MÊME AVEC LE CRISTAL DE ROCHE

Vous pouvez, avec une personne amie, vous faire un massage réciproque au cristal de roche. Ce dernier doit avoir été d'abord lavé, puis séché avec un linge de coton propre.

La personne qui reçoit le massage se met à plat ventre. Le partenaire « masseur » s'empare du cristal, qui doit être de petite dimension, et commence par masser les pieds : il en pique doucement la plante avec la pointe et frictionne la peau avec les côtés de la pierre. Puis c'est au tour de l'une des jambes, et ensuite de l'autre. Le massage se poursuit en remontant le dos (prudence dans la région de la colonne vertébrale), jusqu'à la nuque et à la base du crâne, pour être orienté ensuite sur les épaules, les bras et les mains. Le partenaire « massé » se couche alors sur le dos et le massage recommence par les pieds, une jambe, l'autre jambe, toujours en remontant. Dans la zone du plexus solaire, le massage s'opère en cercles, dans le sens des aiguilles d'une montre, ceci afin de décongestionner cette partie du corps.

Dans la région du cœur, le mouvement doit être particulièrement léger et effectué avec précaution. Le massage peut se terminer par le visage et la tête en passant délicatement le cristal sur le front, sur les joues et sur la naissance des cheveux. Puis le « masseur » devient le « massé » et tous deux, après la séance, se sentent merveilleusement rafraîchis, revivifiés et tonifiés.

Une autre méthode, que vous pouvez pratiquer seul, consiste à placer un cristal de roche sur chacun de vos chakras. Si vous ne possédez pas suffisamment de cristaux, limitez-vous au plexus solaire, au cœur et au Troisième œil. Pendant la séance de traitement, vos bras doivent rester allongés des deux côtés de votre corps, paumes des mains en l'air, comme si elles étaient offertes... pour recevoir. Fermez les yeux, respirez profondément et détendez-vous. Laissez courir les images dans votre tête et ne chassez pas les sensations que vous éprouvez (durée maximale : 15 à 20 minutes).

MÉDITATION

Le cristal est un assistant merveilleux quand vous décidez de méditer. Il accorde votre conscience avec la Source et attire votre âme vers la Lumière. Voici quelques suggestions destinées à aider votre méditation :

1. Couchez-vous sur le dos et posez un seul cristal sur votre Troisième œil. Soyez très attentif à ce que vous ressentez et laissez votre imagination vous proposer toutes sortes d'expériences. Passez au travers des portes qui se dressent devant vous. Derrière elles, un palais de cristal ou une grotte lumineuse vous attendent. Ne prolongez pas l'application des cristaux au-delà de 15 à 20 minutes, comme c'est d'ailleurs également le cas lorsque vous les posez sur les autres chakras.

2. Si vous participez à une méditation de groupe, formez un cercle au centre duquel vous placez le cristal. Vous et vos compagnons êtes la Terre, il est la Lumière.

3. Vous pouvez aussi préparer un petit autel des quatre éléments, sur lequel vous déposez une bougie allumée (pour le Feu), un bol empli d'eau ou un vase de fleurs (pour l'Eau), de l'encens en train de brûler (pour l'Air) et votre cristal (pour la Terre). Asseyez-vous face à l'autel et fixez le cristal. Fermez ensuite lentement les yeux en tâchant de conserver son image dans votre Troisième œil. Rendez grâces à la Lumière et concentrez-vous sur la clarté intérieure. Le cristal joue le rôle de notre « ego » et sa grande sensibilité nous permet de plonger au plus profond de nous pour entrer en contact avec notre « moi » intérieur. Cette expérience fortifie notre sixième chakra en renforçant notre pouvoir de visualisation.

Dans le processus de la méditation, le « méditant » et le sujet de la méditation finissent par se confondre et ne faire plus qu'un. C'est à ce stade-là que la vérité apparaît. Méditer, c'est se concentrer parfaitement. Toutes les connaissances existent à l'intérieur de notre « moi », mais elles émergent rarement au niveau de la conscience parce que l'apparence des choses matérielles occupe la majeure partie de notre concentration. Tant que notre esprit reste distrait par « le dehors », il est incapable de percevoir « le dedans ». La méditation oblige l'esprit extérieur à faire le mort ; elle met le cerveau en veilleuse. C'est seulement lorsque le silence interne s'établit que le voile des illusions se déchire et que notre maître intérieur fait son apparition.

En pratiquant le *tratak*, méditation yogi basée sur la contemplation d'un cristal, il est possible de voir dans le passé et de prédire l'avenir. Cette technique demande de longs et patients efforts. Elle exige de parvenir à une concentration parfaite, à la contemplation absolument immobile du cristal jusqu'à ce que tout disparaisse autour de soi excepté lui.

Au fur et à mesure des progrès accomplis, on voit se détacher des formes, et des images prendre corps. Il s'agit alors encore de savoir interpréter ce que l'on voit.

CRISTAL DE ROCHE ET CÉRÉMONIES RITUELLES

Il y a très longtemps, en Extrême-Orient, les prêtres allaient chercher un bloc de cristal dans les montagnes de l'Himalaya, tout comme le faisaient d'ailleurs les prêtres d'Amérique du Sud dans les Andes. Ils le ramenaient dans leur monastère et là, en taillaient soigneusement les côtés. Des années durant, ils le sculptaient, jusqu'à ce que sa forme soit sphérique. Des générations de prêtres se succédaient, qui inlassablement polissaient ce cristal avec du sable de plus en plus fin et de l'eau. Le jour arrivait enfin où la sphère de cristal était prête à jouer son rôle rituel : voir le futur, le désir des dieux.

En Afrique, en plus des os qui vont lui permettre de comprendre les problèmes de ceux qui le consultent, le chaman met aussi dans son sac un cristal, symbole, pour lui, de l'Eau et de la Lumière.

Dans certaines régions d'Irlande, de petites boules de cristal de roche sont montées sur des anneaux d'argent. Il paraît que cela permet aux personnes qui les portent d'entrer en contact avec les Leprachauns (esprits irlandais de la nature) et d'en recevoir des messages bienveillants.

L'époque de la pleine Lune est tout à fait opportune pour organiser une petite cérémonie avec votre cristal. C'est aux Indiens que je dois cette pratique et je vous la livre en espérant qu'elle vous plaira autant qu'à moi. Au moment où la Lune se lève, gravissez une petite colline et posez votre cristal (ou vos cristaux) sur un lit de feuilles ou d'herbe, par exemple de cèdre ou de sauge, dont vous aurez garni un plateau ou une coupe. Faites ensuite brûler feuilles et herbe comme de l'encens et offrez votre cristal à la Lune, en chantant, en priant et en la remerciant de sa présence. Puis vous prenez votre cristal et dirigez ses rayons sur votre propre corps et vers vos compagnons. La Lune l'a chargé de sa lumière et de ses pouvoirs.

Pour transporter votre cristal, enveloppez-le de préférence dans du tissu de coton, de soie ou de velours. N'utilisez pas de matière synthétique et faites en sorte que la couleur soit aussi neutre que possible. La soie sauvage est un choix excellent. Quant au velours noir, c'est sur lui que le cristal irradie le mieux sa lumière.

LE PENDULE DE CRISTAL

Chaque fois que je dois prendre une décision ou lorsqu'il s'agit de contrôler le taux d'énergie de mes malades, j'ai recours à un pendule de cristal ; il est devenu mon allié, mon ami. J'ai une confiance absolue en lui. Je sais qu'à travers lui ce sont mon « moi » supérieur et mon maître intérieur qui me parlent.

Nous ne devons jamais perdre de vue que ce que nous récoltons est invariablement de la même qualité que ce que nous avons semé. Plus nous sommes ouverts et réceptifs, plus la moisson promet d'être belle.

Laissez la grande Lumière des cristaux
pénétrer notre cœur
et illuminer notre âme

Ces cadeaux tout puissants, il faut les utiliser avec sagesse, sans égoïsme, Souvenons-nous que toutes les grandes civilisations se sont détruites dès qu'elles se sont mises à user de leur pouvoir à mauvais escient. La Lémurie, l'Atlantide, l'Egypte, la Grèce, Rome, toutes sont tombées en disgrâce et se sont éteintes dans le chaos et l'ignorance pour n'avoir pas su réfréner leur avidité de puissance. Encore une fois, je ne le répéterai jamais assez, les cristaux nous parlent avec sagesse. Grâce à eux, cultivons notre esprit, créons de la beauté, aimons ! L'équilibre et l'harmonie seront notre récompense.

LES AUTRES CRISTAUX DE QUARTZ

En dehors du cristal de roche, il existe d'autres cristaux de quartz : le quartz enfumé, le rutile, le quartz tourmaline. Quant aux autres membres de cette famille — le quartz rose, le quartz améthyste, la citrine — ils seront décrits dans le chapitre traitant chaque pierre séparément (p. 83).

A cause des couleurs que leur confèrent les bulles d'air et les particules d'eau incluses dans certains cristaux de roche, ceux-ci sont appelés quartz arc-en-ciel.

Quand un autre cristal se forme à l'intérieur d'un cristal, on parle alors d'un quartz fantôme.

LE QUARTZ ENFUMÉ

Le quartz enfumé est un cristal transparent, mais d'une couleur un peu sombre comme s'il avait été légèrement teinté par de la fumée, d'où son nom. Sa force est grande et il ne faut pas considérer sa couleur comme négative, au contraire : elle représente le mystérieux.

Ce cristal de quartz, parfois aussi appelé Topaze fumée, peut aider à élever notre niveau de conscience. C'est une pierre très sérieuse, au caractère très « Terre », qui aiguise la pensée abstraite.

Les propriétés curatives du quartz enfumé sont illimitées car il possède une fréquence ultrasonique qui le rend aussi efficace qu'un rayon laser.

J'ai moi-même un quartz enfumé et je l'utilise très souvent pour soigner mes patients. Je n'ai même pas besoin de l'appliquer sur la peau ; il suffit que je l'oriente vers la partie du corps désirée pour que le malade sente immédiatement la charge électrique.

Le quartz enfumé est directement gouverné par Saturne, qui lui a conféré ses dons de stabilité et de responsabilité. Pourtant, il détend et repose. Les Atlantes l'utilisaient comme « focalisateur » d'énergie dans les séances d'hypnose.

LE RUTILE

Le rutile est un cristal de roche transparent dans lequel sont incluses des fibres de rutile doré ou rougeâtre en forme d'aiguilles. Ces inclusions accroissent encore l'intensité et la transmission de puissance du cristal car elles contiennent des courants inverses de charges électriques qui renforcent le pouvoir curatif. La couleur de la pierre n'influence pas son magnétisme et ces inclusions ont un rôle utile : elles forment parfois des motifs remarquables qui retiennent les champs de force magnétique.

La clé des pouvoirs curatifs extraordinaires du rutile réside dans la projection de courants électriques capables de faire disparaître des troubles d'ordre physique du corps humain en reconstituant les cellules et les tissus des organes affectés. Lorsque le rutile est posé à l'emplacement du plexus solaire, sa couleur dorée combat l'angoisse et la peur. Dans les soins, j'utilise également cette pierre sur le cœur dans les cas où celui-ci est particulièrement empli de tristesse et très faible.

LE QUARTZ TOURMALINE

Le quartz tourmaline, transparent avec des inclusions d'aiguilles de couleur noire, possède un double pouvoir : les forces combinées du cristal et de la tourmaline noire travaillent dans le sens de la Loi universelle de l'opposition et de la polarité. Ces forces nous aident à nous débarrasser d'anciens schémas de vie qui nous détruisent en gênant notre croissance et notre développement. Elles rétablissent l'équilibre des courants personnels de l'aura.

La tourmaline, très sensible, contient une forte charge électrique. Vous trouverez davantage d'informations sur cette pierre à la page 92.

LE DIAMANT

Le diamant est la plus haute manifestation de la Lumière blanche, la Lumière universelle. Il est le roi des pierres, le plus précieux et le plus puissant. Il est le plus grand symbole de la clarté, de la pureté et de l'illumination. Il représente la plus pure concentration de l'énergie qui émane de la volonté divine.

Le diamant aide à harmoniser le cœur et la volonté avec l'Esprit divin, créant ainsi la trinité de la perfection humaine.

Les sept rayons s'associent à l'unité cosmique de l'Unique et le diamant contient toutes les qualités et tous les attributs qui mènent à l'état de perfection du règne minéral. Il est la pierre qui possède la puissance extrême et ses pouvoirs sont insurpassables.

Le diamant est constitué par du carbone cristallisé des plus purs et ce n'est qu'après un facettage et un pollisage soignés qu'il atteint enfin son inégalable brillant, son éclat incomparable. Il y a beaucoup à apprendre de la leçon qu'il nous donne.

Plus que toute autre pierre, le diamant est de grande réputation et le héros de nombreuses histoires et légendes. Il serait temps, maintenant, que l'homme se rende compte des extrémités où l'a conduit son avidité : pour le diamant, il a tué, volé et causé, par ses pensées négatives, toutes sortes d'excès et détruit de nombreuses vies. La loi karmique nous pousse aujourd'hui à considérer cette pierre précieuse non pas pour ce qu'elle vaut, mais pour la beauté et les qualités de la Lumière qui l'habitent.

Le diamant possède des pouvoirs curatifs immenses. Il guérit presque toutes les maladies et protège efficacement contre les vibrations et pensées négatives. Dur et coupant, il taille en pièces toutes les conceptions arbitraires et nous amène sur l'autre rive de l'illumination.

Le Bouddha disait d'ailleurs, à juste titre, que c'est cet état de Lumière qu'il faut atteindre. Il parlait d'un « esprit de diamant » dans lequel tout est pure réflexion et transparence, d'un esprit qui peut réduire en miettes l'illusion des miroirs mais qu'aucune force, aussi puissante soit-elle, n'est capable de rayer.

Existe-t-il de meilleur exemple d'évolution que celle, lente, du diamant, qui débute comme humble morceau de carbone cristallisé pour s'achever, en apothéose, comme le joyau des joyaux ? Cet exemple, l'homme peut très bien le suivre en « taillant » son âme en de multiples facettes qui permettront à la Lumière d'entrer dans sa vie et de l'illuminer, comme autant de fenêtres ouvertes sur l'Univers. Voilà à quoi le diamant est parvenu ! Sa pureté intégrale exprime un état de conscience qui a su dépasser la dualité entre le « moi » et le « non moi ». Elle est telle qu'elle inonde toutes choses de Lumière.

Oui, le diamant est infini et unique. Il est conscient de son illumination car il est capable d'éclairer et d'être éclairé. Celui qui possède cet « esprit de diamant » a vraiment découvert la pierre philosophale, bijou inestimable.

Il était une fois, en Inde, un roi très fier de sa richesse. Un yogi lui dit un jour de ne pas se laisser aveugler par les trésors. Le roi répondit : « Donne-moi un conseil qui corresponde à ma vraie nature et à mes capacités, sans pour cela changer ma vie extérieure, et je le suivrai ». Le yogi connaissait l'attrait qu'exerçaient les bijoux sur le roi. Il choisit cette inclination naturelle comme point de départ et comme sujet de méditation, en accord avec la tradition tantrique selon laquelle il faut se servir de sa faiblesse pour y puiser sa force. « Regarde les diamants de ton bracelet ! » dit-il au roi. « Fixe ton esprit sur eux et médite ceci :

ils brillent de toutes les couleurs de l'arc-en-ciel et ces couleurs qui réjouissent tellement ton cœur n'ont pourtant pas de nature propre. De même, notre imagination est inspirée par les diverses formes de l'apparence qui n'ont pas plus de nature propre que les couleurs de tes diamants. L'esprit est le seul joyau et toutes les choses lui empruntent leur temporelle réalité ». Le roi se concentra alors sur le bracelet de son poignet gauche et se mit à méditer sur les paroles du yogi. Peu à peu, son esprit parvint à la pureté et au rayonnement d'un joyau immaculé : le roi était devenu diamant.

Celui qui a découvert la pierre philosophale — joyau parfait de l'esprit illuminé — à l'intérieur de son cœur transforme sa conscience mortelle en immortalité, perçoit l'infini dans le fini. Tel est l'enseignement du diamant, véhicule spirituel des moines tibétains.

Nous sommes tous des diamants non taillés, non polis. Nous devons encore affronter nombre d'épreuves avant d'atteindre l'état de beauté et de perfection. Ne le regrettons pas et acceptons ces nouvelles expériences avec joie et gratitude puisque chacune d'elles nous rapproche du but final : l'état d'illumination parfait.

LES PIERRES PRÉCIEUSES, LES PIERRES FINES ET LEUR UTILISATION

Nous voyageons ensemble.
Le chemin est long
Et jonché d'ossements
Et de pierres précieuses.

PROPRIÉTÉS DES PIERRES

Depuis les temps anciens, il a toujours été admis que les pierres précieuses et les pierres fines possédaient des pouvoirs psychiques, lesquels pouvaient exercer une grande influence sur nos vies.

Les pierres sont des entités vivantes qui vibrent selon des fréquences distinctes. Elles engendrent des champs d'énergie dans lesquels nous pouvons puiser de nouvelles forces. La pureté et la « voie directe » de leurs rayons sont capables de nous guérir, de nous équilibrer et de nous immuniser contre les forces négatives. Leurs facettes correspondent à la variété infinie de nos propres aspects.

L'illumination est le mot-clé des pierres.
Elles illuminent la Terre autant que les étoiles.
Elles sont Lumière et radiance, même à l'état brut,
Contiennent et la graine et la fleur de la Lumière,
Le centre de la mer cosmique.

Les couleurs sont les rayons de l'amour. Chacun des sept rayons lumineux a sa propre vibration. Pour être capable de les appliquer aux pierres qui leur correspondent, il s'agit de bien comprendre les propriétés uniques de chaque rayon. C'est pourquoi l'étude des couleurs est indispensable à qui souhaite utiliser les pierres pour guérir ou entraîner la transformation spirituelle d'un être humain.

Le rayon lumineux charge la pierre d'une énergie magnétique et c'est cette énergie-là qui, émanant de la pierre, agit sur l'aura et lui donne harmonie et équilibre.

Procédons à une brève récapitulation :

— les pierres *rouges* et *orange* redonnent de la vitalité au corps humain et le stimulent ;
— les pierres *jaunes* revivifient et accélèrent l'activité mentale ;
— les pierres *vertes* calment et apaisent le système nerveux ;
— les pierres *bleues* et *indigo* inspirent et ouvrent spirituellement ;
— les pierres *violettes* accélèrent et subliment tous les processus du corps, de l'intellect et de l'esprit.

UTILISATION DES PIERRES EN JOAILLERIE

Parmi différents articles de beauté, des crèmes et cosmétiques ont été fabriqués à partir de pâtes de pierres pour le maquillage des yeux, de la bouche et du visage. La malachite, enfant chérie des Egyptiens, était utilisée par la grande prêtresse qui en appliquait la pâte sur les yeux et les cheveux. Le rubis était employé de la même façon pour les pommettes et les lèvres. Quant au bleu profond du lapis-lazuli, il était réservé, depuis des temps immémorables, aux paupières.

C'est à cause de leur beauté incomparable que les pierres sont tellement recherchées comme parures et cela ne date pas d'hier.

Jaspe rouge

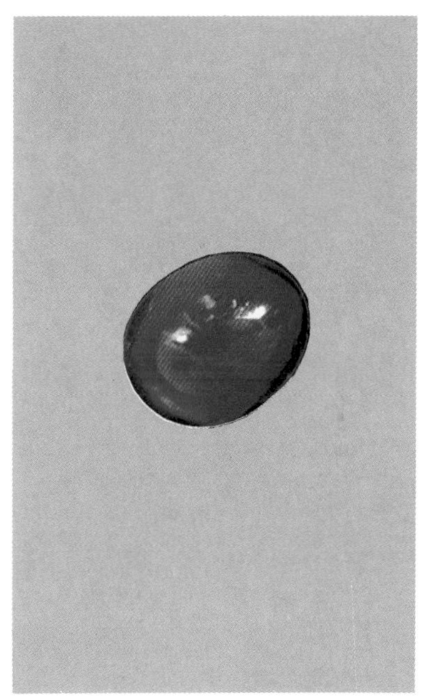

Opale de feu

Topaze dorée

Cornaline

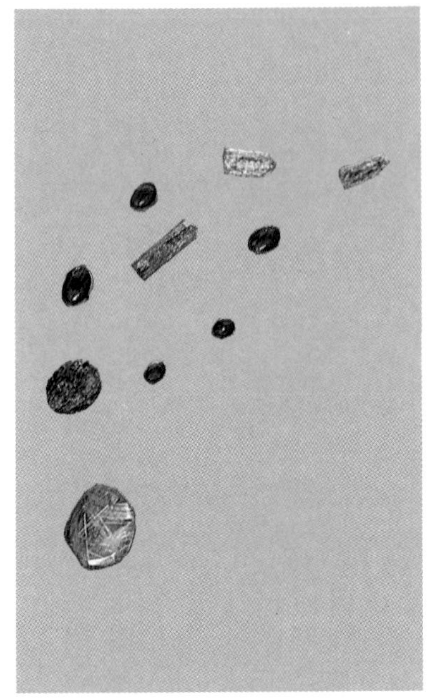

Arrangement de pierres dorées

Ambre

Rhodonite

Emeraude

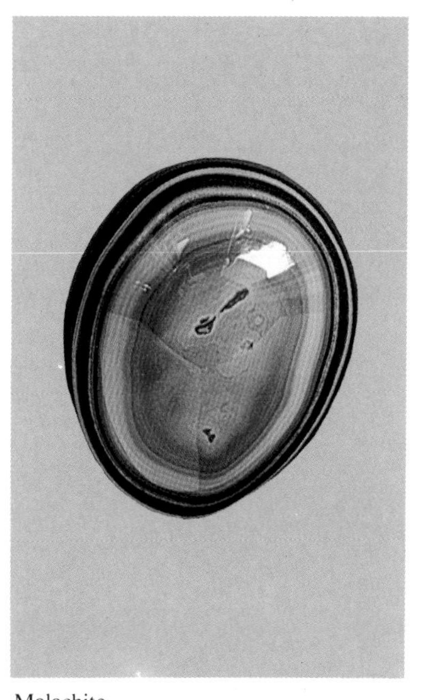

Malachite

Jade

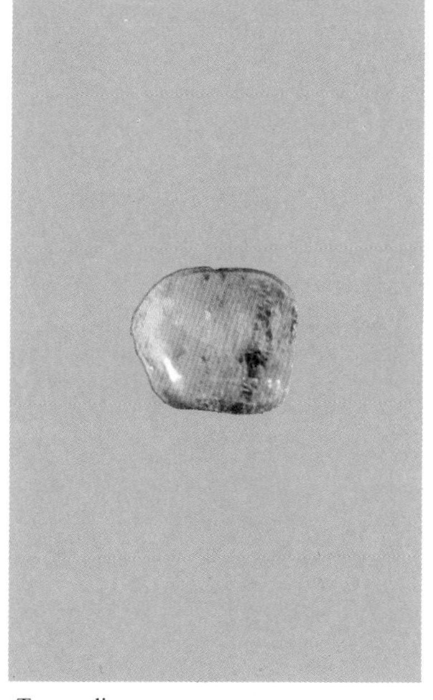

Tourmaline verte

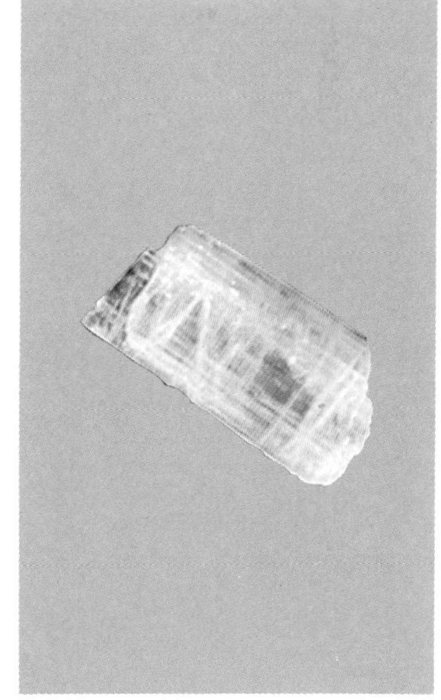

Tourmaline vert clair

Dioptase

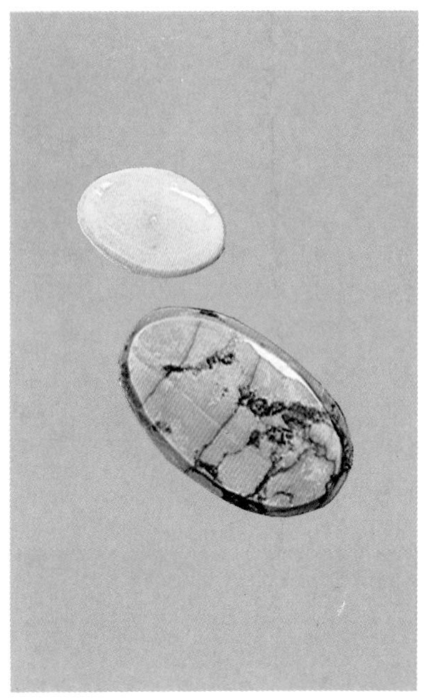

Turquoise

Pierres de lune

Rutile

En effet, sitôt l'homme apparu sur cette planète, elles ont servi à mettre en valeur et à embellir le corps, les vêtements et l'environnement. Dans les cultures anciennes, les tailleurs de pierres précieuses étaient en même temps alchimistes, ou apothicaires, ou encore grands prêtres, connaissant le pouvoir occulte des bijoux qu'ils fabriquaient. Ces sages de l'Antiquité ont malheureusement été remplacés par des commerçants qui n'ont vu dans les pierres que le profit matériel qu'ils pouvaient en tirer. Alors les pierres, bien qu'ayant conservé toute leur beauté, se sont arrêté de parler parce qu'elles n'avaient plus personne pour les écouter. Elles se sont endormies avec l'espoir qu'un jour les humains les réveilleraient et leur demanderaient de poursuivre leur mission.

Les grands prêtres et les grandes prêtresses d'Egypte étaient également guérisseurs et portaient de nombreuses pierres sur leur corps, en particulier sur la tête et sur les mains afin de se charger de leur énergie pour la transmettre à leurs patients.

D'Egypte nous vient cet ancien poème :

Thot, mon dieu, est fait de pierres précieuses.
Il éclaire la Terre de son éclat,
Le disque de Lune sur sa tête est de jaspe rouge
Et son phallus est de quartz.
Thot, je n'ai plus peur de rien
Depuis que ta force est mienne.

Des pierres précieuses d'une grande beauté étaient serties sur la couronne des rois, des reines et des chefs religieux. Elles fonctionnaient comme des batteries grâce auxquelles ces représentants de la divinité sur terre pouvaient se recharger en énergie cosmique.

Les cinq « matières » sacrées des moines tibétains sont : le cristal de roche, symbole de la Lumière ; la turquoise, pour l'infinité de la mer et du Ciel ; le corail, pour la vie et l'apparence de la forme ; l'or, pour la Lumière du Soleil ; l'argent, pour la Lumière de la Lune. L'ambre et la cornaline ont été aussi beaucoup utilisés comme bijoux et amulettes.

L'Indien d'Amérique vénère les mêmes pierres. Il porte une turquoise pour se protéger des maléfices — la croyance veut que cette pierre contienne l'atmosphère terrestre — et du corail pour se donner du courage.

J'ai toujours été étonnée par la similitude des croyances et pratiques religieuses existant dans les cultures tibétaine et indienne d'Amérique étant donné que ces peuples sont tellement éloignés l'un de l'autre (en fait, ils se situent exactement à l'opposé sur le globe). Tous les deux aiment et respectent la Terre, croient que tout ce qui vit vibre et possède une âme, reconnaissent les éléments comme leurs ancêtres et leur demandent conseils et assistance.

Les écrits des premiers chroniqueurs chrétiens relatent que les pierres précieuses fixées sur la chasuble du grand prêtre étaient si fortement magnétisées par leurs planètes respectives qu'elles étaient capables de répondre aux questions qui leur étaient posées par une sorte d'alphabet morse lumineux.

LES PIERRES ET LES JOURS DE LA SEMAINE

La Fraternité d'Hermès observait rigoureusement les règles selon lesquelles des pierres déterminées devaient être portées à des jours précis de la semaine. Les pouvoirs d'une telle association leur étaient parfaitement connus.

Dimanche	jour du *Soleil*	or et pierres jaunes comme l'ambre et la topaze dorée
Lundi	jour de la *Lune*	perle, pierre de lune, toutes les pierres blanches

Mardi	jour de *Mars*	rubis, grenat, toutes les pierres rouges
Mercredi	jour de *Mercure*	turquoise (protection contre l'air), saphir bleu, lapis-lazuli, toutes les pierres bleues
Jeudi	jour de *Jupiter*	améthyste, pierres violettes et pourpre
Vendredi	jour de *Vénus*	émeraude, malachite, toutes les pierres vertes
Samedi	jour de *Saturne*	diamant et toutes les pierres noires

LES PIERRES, LES SIGNES DU ZODIAQUE ET LA COULEUR

Tous les minéraux et toutes les pierres précieuses sont accordés avec les constellations et proclament leur affinité par leurs couleurs. Posséder ou porter des bijoux équivaut à attirer sur soi les forces magnétiques émanant de ces constellations. Il est donc important de porter des pierres qui sont en harmonie avec le rayon lumineux sous l'influence duquel nous sommes nés.

Les pierres de naissance favorisent la libre circulation, en nous, de l'énergie cosmique, au rythme des saisons, mais il est sage de porter également une pierre qui puisse annihiler les dissonances présentes dans notre thème astral.

Signe	*Pierres*	*Couleur*
Bélier	rubis, pierre de sang, jaspe rouge	rouge
Taureau	topaze dorée, corail, émeraude	jaune

Signe	*Pierres*	*Couleur*
Gémeaux	cristal de roche, aigue-marine	violet
Cancer	émeraude, pierre de lune	vert
Lion	rubis, ambre	orange
Vierge	jaspe rose, turquoise, zircon	violet
Balance	opale, diamant	jaune
Scorpion	grenat, topaze, agate	rouge
Sagittaire	améthyste	pourpre
Capricorne	onyx blanc, onyx noir, béryl, jais	bleu
Verseau	saphir bleu	indigo
Poissons	diamant, jade, aigue-marine	indigo

LE PORT ET L'INFLUENCE DES PIERRES

Plus les pierres que vous portez sont précieuses, plus vous êtes chargés d'énergie cosmique et irradiez cette force autour de vous.

Les pierres détectent parfois les maladies, douleurs et malheurs qui affectent le corps éthérique et les prennent à leur compte : la couleur du rubis et du corail se « fane » lorsque celui ou celle qui les porte souffre d'anémie, et la turquoise, quant à elle, change de couleur si son ou sa propriétaire est malade physiquement ou psychiquement.

D'autres pierres donnent au contraire leur force à la personne qui les possède. C'est le cas de l'émeraude, de la topaze et du diamant. De leur côté, l'améthyste et le saphir indigo sont susceptibles de déclencher un véritable réveil spirituel chez ceux qui s'en parent.

Portez donc vos bijoux au lieu de les enfermer dans un coffre-fort ! Ne privez pas votre corps et votre âme de la force formidable qu'ils vous offrent. Vérifiez si les pierres montées sur des bagues sont bien en contact avec votre peau. Et puis, je vous le répète, mieux vaut laisser les pierres vous choisir plutôt que de les choisir vous-même : elles savent ce dont vous avez besoin.

Les gens me demandent souvent s'il existe une différence entre les pierres taillées et les pierres brutes. Certaines sont aussi efficaces dans un cas que dans l'autre. Il en est qui ont, en revanche, besoin d'être taillées et polies pour remplir leur fonction.

Le grenat, par exemple, demande d'être taillé, poli et peut-être aussi facetté. L'améthyste, au contraire, est plus efficace dans sa forme brute cristallisée.

En fait, il n'y a pas de règles précises. C'est en vivant avec une pierre que l'on est en mesure de se rendre compte de ses effets sur nous.

Polir les pierres est un art. Les polisseurs doivent être davantage que des artisans d'art : ils doivent être artistes eux-mêmes pour tirer le maximum de beauté de la pierre qu'ils travaillent. Le diamant montre la sensibilité dont l'artisan doit faire preuve lorsqu'il le facette.

Quand vous avez l'intention d'acheter une pierre, ne vous laissez pas influencer par le prix qu'elle coûte. Avouez qu'il est plus agréable de dépenser son argent pour acquérir de la beauté et la perspective d'améliorer la santé que de payer des factures de médecin. Mais si votre bourse ne vous permet pas de vous offrir des pierres précieuses, vous pouvez aussi retirer de grands avantages des pierres fines et des pierres ornementales. Vous devez néanmoins savoir que le rubis, l'émeraude et le saphir n'ont pas d'équivalent quant à leurs qualités magiques.

Dans la plupart des grandes villes, il existe des magasins qui vendent des minéraux et où l'on peut trouver des pierres fines et des pierres ornementales. Voici les alternatives que je vous propose :

cristal de roche	à la place du *diamant*
grenat	à la place du *rubis*

lapis-lazuli ou sodalite	à la place du *saphir bleu*
turquoise ou chrysocolle	à la place de l'*aigue-marine*
citrine	à la place de la *topaze*
cornaline	à la place de l'*opale de feu*
rhodochrosite	à la place de la *rubellite (tourmaline rose)*
malachite ou *chrysoprase*	à la place de l'*émeraude*
azurite	à la place du *saphir indigo*

ASPECT MYSTIQUE DES PIERRES

Les anciens croyaient que chaque pierre précieuse s'était cristallisée autour d'une entité, laquelle était à même d'aider de ses conseils et par sa protection occulte la personne possédant ladite pierre. C'est de cette croyance que les talismans sont nés. Ils constituaient des aimants d'une grande puissance, capables de transmettre à distance des pouvoirs positifs aussi bien que des forces destructrices, tant il est vrai que l'énergie cosmique peut être utilisée pour guérir ou pour anéantir. Tout dépend du niveau de conscience de ceux qui la détiennent et qui détermine son emploi.

Pour obtenir une plus grande puissance énergétique, il est possible de donner des formes symboliques (cercle, croix, triangle, carré, spirale) aux pierres, à moins qu'elles n'aient cette forme d'origine, dans la nature.

En Egypte, le scarabée, symbole de l'éternité, était souvent sculpté dans du lapis-lazuli ou de la turquoise, ce qui le dotait du double pouvoir de l'infini. En effet, le scarabée est l'animal sacré qui chevauche le Soleil éternel, alors que la turquoise et le lapis-lazuli, pierres bleues, symbolisent l'infinité du Ciel et de l'esprit.

Chez les peuples de culture islamique, le nom d'Allah (ou Dieu) était très souvent sculpté dans de la cornaline ou dans du lapis-lazuli. N'oublions pas que toute forme — triangle, carré ou lettre — a non seulement une signification dans le monde matériel, mais aussi dans le monde spirituel.

Les forces cosmiques sont partout. Il s'agit seulement de les focaliser, de les transformer et de les diffuser par l'intermédiaire d'un aimant ou d'un récepteur (- pierre) pour aider l'être humain sur son chemin spirituel.

Plus nous ouvrons notre esprit et notre cœur aux pierres et au cosmos, plus nous recevons. L'abondance nous vient aussitôt que nous éprouvons de la joie à faire partie de la vie et que nous vibrons à l'unisson avec notre grande famille. Les récompenses sont immenses lorsque nous nous offrons à la Lumière et à tous ceux qui sont chargés de la transmettre.

Je vous ai parlé, à la page 59, de la petite cérémonie que vous pouviez organiser vous-mêmes à la pleine Lune. Ne vous limitez pas uniquement à celle-ci. Le solstice d'été ou l'équinoxe d'automne sont des dates qui se prêtent très bien à ce genre de rituel. En effet, à chaque changement de saison l'atmosphère est chargée de courants électromagnétiques extrêmement forts. Ces circonstances permettent à l'être humain de reprendre contact avec les éléments et elles doivent être mises à profit pour se vouer à la recherche du « moi » intérieur et de la conscience cosmique à laquelle nous appartenons. Pour que notre cœur et notre esprit fusionnent, il est indispensable de retrouver le sens du sacré. Prenez vos pierres, quelques instruments de musique et des offrandes, et partez dans la nature avec quelques compagnons pour vous réjouir de la beauté de notre mère, la Terre, et lui rendre grâces de sa bonté. Vous recevrez des trésors certes impalpables pour vos mains, mais qui rassasieront votre cœur et votre âme.

En outre, il serait important d'aménager, dans votre lieu d'habitation, un endroit tranquille, à l'abri de toute intrusion, où vous pourriez vous retirer régulièrement et méditer. Vous devriez même y construire un petit autel élevé à la gloire des quatre éléments, comme indiqué dans le paragraphe 3 de la page 58, et y déposer (pourquoi pas ?) un mandala de pierres.

LE MANDALA DE PIERRES

Le centre du mandala de pierres doit être occupé par un cristal de roche — ou un diamant — qui symbolise la Grande Lumière Blanche. Tout autour, en cercle, disposez sept pierres qui correspondent aux sept rayons lumineux (voir l'exemple de la page 20) :

vert

jaune *bleu*

orange *cristal de roche ou diamant* (Lumière Blanche) *indigo*

rouge *violet*

Pierres *rouges*	grenat, rubis foncé, jaspe rouge
Pierres *orange*	cornaline, opale de feu, jaspe orange
Pierres *jaunes*	citrine, topaze, ambre
Pierres *vertes*	malachite, jade, émeraude
Pierres *bleues*	lapis-lazuli, sodalite, saphir bleu, turquoise, aigue-marine
Pierres *indigo*	azurite, saphir indigo
Pierres *violettes*	améthyste, fluorite

Visualisez-vous assis ou assise au centre de la Grande Lumière Blanche, entouré(e) par les sept rayons cosmiques qui vous atteignent par l'intermédiaire des pierres et vous chargent de leurs énergies bienfaisantes.

La beauté élève nos émotions au-dessus de notre ego. Regarder et admirer la Lumière de la nature sous la forme de pierres précieuses est la voie qui aide à retrouver le calme et à vivre harmonieusement.

Chacune de nos vies est une pierre précieuse, un pas de plus accompli vers le développement de notre nature divine. La véritable valeur des pierres est l'utilisation que nous en faisons pour nous éveiller spirituellement, pour guérir ou apaiser notre âme, pour vivre de leur beauté et pour comprendre, grâce à elles, que tout, ici-bas, nous est prêté et que chaque chose revient inexorablement à sa source.

Plus nous perdons notre ego, plus notre être est lumineux et plus nous devenons ce que nous sommes réellement. C'est parvenus à ce stade-là que nous sommes capables d'aider véritablement les autres. Et soyez assurés que la faculté d'être lumineux est inhérente à tout être vivant !

LES PIERRES QUI GUÉRISSENT

Les fréquences vibratoires des pierres sont « aiguillées » par le corps éthérique sur les chakras — centres vitaux connus aussi sous le nom de « centres de Lumière » ou « joyaux de Lumière » — afin de remédier à toutes les insuffisances du corps physique.

C'est grâce au pouvoir et à l'intensité des vibrations de cette Lumière qu'une amélioration notable de la santé, puis que la guérison interviennent. Plus la Lumière est claire, pure et vive, plus son pouvoir est grand. Le dernier chapitre de cet ouvrage (p. 129), consacré au traitement par les pierres, fait un tour d'horizon beaucoup plus ample quant à leur meilleure compréhension et à leur utilisation dans le domaine paramédical.

Il existe bien des pierres qui, sans posséder de pouvoir curatif, contribuent cependant à vous entourer de beauté et à vous faire prendre conscience de votre appartenance à la Terre grâce aux vibrations qu'elles dispensent. Mettez des pierres partout dans votre maison, ou dans votre appartement. Ramenez-en de voyage, acceptez celles que vos amis vous offrent et achetez celles dont la couleur vous attire particulièrement. Oui, entourez-vous de pierres ! Vos plantes adoreront les avoir pour compagnes. Vous pouvez même poser des pierres dans leurs pots. Plantes et pierres se reconnaissent, soyez-en sûrs.

Laissez la beauté des pierres
Vous parler,
Lumière étincelante
Dans le joyau du cœur
Et de l'esprit.

En Orient, il existe le mythe de la pierre. Comme la lampe d'Aladin, cette pierre matérialise sur le champ tous les souhaits de son propriétaire.

Regarde au plus profond du joyau de ton cœur !
Quel est le souhait qui s'y cache ?
En écoutant la voix de ta conscience
Ton propre secret te sera révélé.

Une voix m'a répondu :

Sois aimable mais fort,
Sois ouvert et bienveillant,
Beau et étincelant,
Sois le joyau dans le lotus.

LES PIERRES ET LEURS PROPRIÉTÉS SPÉCIFIQUES

La beauté est vérité, la vérité est beauté !
Sur cette Terre
C'est tout ce que je sais
Et tout ce qu'il me suffit de savoir.
John Keats

LES PIERRES ROUGES

LE RUBIS

Rubeus étincelle,
Feu dans le cœur de l'être,
Élève l'amour de moi
A l'amour de tous
Amour du tout.

Un rubis dans le cœur, d'un rouge pur, et je scintille. L'émotion que l'on appelle amour doit être élevée de l'état de partage à celui de compassion totale à travers le rai de la Lumière universelle. Lumière dans le cœur, tout mon être irradie : je suis illuminé et illuminateur.

Le rubis symbolise le Cœur spirituel et dévoué aux forces purificatrices et « transfigurantes ». Relié à Shiva, la divinité du Feu et de la purification, le rouge du Feu terrestre est transmué en essence pure, jaune et dorée. Feu de la vérité brûlant au cœur même de la divine sagesse.

Avec les forces vivantes positives qui sont les siennes, le rubis active et vivifie le corps tout entier. Ses vibrations stimulent, réchauffent et régularisent la circulation dans la totalité du réseau sanguin.

Certains rubis contiennent des inclusions de rutile qui lui donnent des reflets soyeux et un plus grand pouvoir.

Honorons ce joyau pour les forces vives, les émotions et la compassion qu'il nous communique et dont la planète a tant besoin !

LE CORAIL

Branche de Feu,
Fille de l'Eau,
Tu t'étires, paresseuse et gracile,
A la fois bijou de la mer
Et cadeau de la Mère.

Le corail est le cadeau que nous offre notre autre mère, la Mer, pour que nous nous souvenions de sa participation à la création de la Terre. Imitant la plante, il se construit un récif à partir du squelette de petits animaux qu'il transforme en branches. Le corail est dur et durable comme nos propres os, que la tradition chamanique considère comme l'essence de l'homme.

Vivant et respirant de la mer, mais ancré à la terre, le corail nous enseigne ce qu'est la forme, mais aussi la fluidité et la flexibilité à l'intérieur de la forme.

Figurant parmi les cinq pierres sacrées des Tibétains et des Indiens d'Amérique, le corail symbolise l'énergie de la force vitale et protège du mauvais œil. Sa couleur pâlit si le propriétaire de la pierre souffre d'anémie.

Le corail rouge foncé réchauffe, vivifie et stimule la circulation sanguine. Le corail de teinte plus rosée a une influence directe sur le cœur en cas d'émotion intense ou de conflits émotionnels.

Pierre du subconscient, le corail est un aide précieux pour la méditation et la visualisation car il nous permet de retenir les images et les formes qui surgissent de notre inconscient. Il devrait être porté par tous ceux qui souffrent d'une carence alimentaire, de dépression ou de léthargie.

LE GRENAT

Grenade rouge,
Lumineuse et profonde Lumière,
Tu transformes en pureté la passion
Et en décence la luxure
Aussitôt que s'éveille
Le serpent du pouvoir.

Le grenat est associé avec le Feu primal, le Feu qui transmute, le serpent flamboyant : Kundalini qui s'infiltre dans le premier chakra et s'élève le long de la colonne vertébrale. Il symbolise la passion qui doit quelquefois transformer sa violence en puissance de pureté. Voir Dieu demande un cœur pur. Dans le temple du corps, le Feu sacré dort comme un serpent lové dans les « pierres-vertèbres » de l'épine dorsale. Il faut réveiller le reptile et le faire monter jusqu'à la tête en veillant à ce qu'il déroule lentement ses anneaux d'énergie transmutable.

Le plexus sacré est rouge mais il s'accorde au rayon bleu dès que le serpent-kundalini l'a dépassé. Quand ce dernier atteint les centres spirituels, il change d'octave pour prendre possession du rayon violet pourpre.

Les grenats rouges aident à régler les problèmes d'insuffisances circulatoires, stimulent les organes de reproduction et renforcent la puissance sexuelle. Les pierres d'un rose violacé régénèrent et transmutent.

Tous les grenats donnent du courage et de l'énergie, mais attention à l'amour passion qui peut tourner à la haine à cause de la jalousie ! Ils aiguisent l'imagination, préviennent la dépression et corrigent les pensées impures. Les grenats devraient être portés par tous ceux qui souffrent de rhumatismes et d'arthrite.

Le grenat n'agit que s'il est taillé.

LE JASPE ROUGE

Le jaspe rouge est une pierre opaque dans laquelle la puissance de la Lumière ne s'est pas encore manifestée. C'est une pierre humble, ordinaire, mais très appréciée en tant que mère de toutes les pierres précieuses car elle possède des propriétés magiques très fortes.

Le pouvoir de la Terre pénètre dans le corps humain par les pieds. C'est dans cette partie de l'être que s'opère la première transformation de l'énergie terrestre en énergie humaine. Le jaspe rouge symbolise cette transformation. Sa couleur suggère la vitalité et la force de la nature physique de l'homme. Elle ajoute un stimulus naturel à l'énergie qui entre dans les centres sacrés et le plexus solaire.

Tout le respect des grands prêtres de Machupicchu, au Pérou, allait à cette pierre rouge qu'ils utilisaient comme protection contre la sorcellerie.

Il arrive que la couleur du jaspe rouge se ternisse lorsque la personne qui le porte subit l'assaut de vibrations négatives. Cette pierre est d'un précieux secours pour le rétablissement du bon fonctionnement du foie et du sens olfactif.

Cette pierre se présente sous des couleurs et combinaisons de couleurs très variées. Taillé, le jaspe devient un très beau bijou qui nous rappelle les couleurs de la Terre.

LE JASPE SANGUIN (OU HÉLIOTROPE)

Le jaspe sanguin — que l'on appelle également héliotrope, pierre des martyrs — est une pierre vert sombre, irrégulièrement piquetée de points rouges attribués à des inclusions de fer.

Au Moyen Age, ces inclusions passaient pour être des gouttes du sang du Christ. Ces « éclaboussures » contiennent donc une grande quantité de fer et le jaspe sanguin devrait être porté par tous ceux qui souffrent d'une carence de fer dans le sang.

A l'instar de la tourmaline, de la topaze et de la cornaline, le jaspe sanguin transmet ses vibrations directement au corps physique. Il protège du froid, fortifie, active et stimule l'être tout entier.

LES PIERRES ORANGE

LA CORNALINE

La cornaline symbolise la chaleur, l'énergie vivifiante et positive de la Terre. Elle nous rappelle le travail qui nous attend sur notre planète. Cette pierre a une excellente influence sur ceux qui ont tendance à « rêver » leur vie, à ceux qui sont incapables de prendre leur destinée en mains par manque de stabilité.

Notre quête spirituelle ne doit pas nous empêcher d'assumer nos responsabilités matérielles. Nous sommes ici-bas pour œuvrer, pour accomplir la mission qui nous est destinée sur la Terre et aider les autres à remplir la leur.

La cornaline possède un champ électromagnétique qui profite à tous ceux qui la portent. Elle nourrit d'énergie toutes les particules de notre corps et nous emplit d'un sentiment de bien-être et de force intérieure. Son pouvoir influence et règle l'ingestion d'aliments dans le corps, leur assimilation et l'utilisation des substances nutritives par l'organisme. Il agit comme un véritable filtre de notre système digestif.

Les plus belles cornalines sont magnifiquement brillantes et transparentes. On peut les porter comme talismans et y graver des symboles ou des lettres pour leur conférer encore davantage d'efficacité. De toute façon, cette pierre est un allié puissant qui nous aide à nous brancher directement sur les forces de la Terre et à établir une liaison immédiate avec l'Univers.

L'OPALE DE FEU

L'opale de feu, orangée et dorée, possède l'immense pouvoir de désagréger toute forme de cristallisation susceptible de s'opérer dans nos trois corps : physique, éthérique et astral.

Sa translucidité symbolise le Feu du sacrifice, la purification de l'âme et notre mission mystique : la recherche de l'incarnation, l'action inspirée par la sagesse. L'opale de feu est le lien qui nous relie à notre « moi » intérieur ; elle est la gardienne de notre dualité corps-âme.

Les tons orange de cette pierre, très chaleureux, transmettent à notre corps physique vitalité, énergie, puissance et endurance. Notre système digestif a beaucoup à gagner de l'opale de feu.

Vaste est la famille de l'opale de feu dont chaque membre arbore une couleur différente. Cette pierre développe généralement l'intuition dans le domaine de l'entendement. Pour plus d'informations, veuillez vous référer aux textes traitant des pierres blanches (p. 119).

LES PIERRES JAUNES ET LES PIERRES DORÉES

LA TOPAZE

Lumière chaude comme l'or
Ton rayon magnétique
Nous pousse vers la vérité
Afin de conquérir l'illumination
De l'esprit éternel,
L'arc-en-ciel infini de la joie.

Voici le message que nous délivre la topaze :

« Je vous donne la Lumière d'or, le rayon solaire, afin que vous soyez en mesure de concentrer votre esprit sur l'obligation que vous avez de devenir des êtres lumineux. Vous souffrirez dans votre effort car la moitié de votre être résistera à l'appel de ma Lumière. Luttez pour comprendre la nature de la vie et le mystère qui réside en vous. La maîtrise et la sagesse se paient en souffrances ».

La Lumière dorée de la topaze symbolise l'illumination. La Grande Radiation Cosmique nous apprend que toute création vient de l'amour. Aimer oblige à évoluer. Aimer, c'est atteindre la Lumière, mais celle-ci ne nous appartient pas. Elle nous est donnée en récompense pour notre amour et notre travail.

La topaze inspire et stimule notre âme. Son rayonnement rappelle l'auréole des saints et nous enseigne que la matière est illusion, que la possession est vanité et que le vrai sens de la sagesse est l'éternité de l'esprit.

Ses vibrations magnétisent notre être tout entier, favorisent notre concentration et notre créativité. La force de son action exerce une grande influence sur notre système nerveux et notre plexus solaire. Cette pierre contribue également à résoudre les problèmes d'anxiété, résultats de conflits intérieurs entre le corps et l'esprit, en nous permettant d'élever notre niveau de conscience et d'affiner notre acuité intellectuelle.

La topaze aide à combattre les traumatismes nerveux, l'épuisement et la dépression.

Il y a quinze mois, j'ai été profondément impressionnée par une topaze dorée à l'éclat de toute beauté et dont les teintes rosâtres des alvéoles reflétaient de merveilleux arc-en-ciel. En la voyant, j'ai tout de suite su qu'elle était destinée à devenir ma fidèle amie. Je la porte suspendue à une chaîne en or qui amplifie encore le pouvoir de son rayon doré. Elle ne m'a pas quittée durant la rédaction de ce livre et son aide a été considérable, tant sur le plan de l'énergie physique que sur celui de la concentration mentale.

La topaze jaune capture et transforme les rayons dorés du Soleil. Le cœur de cet astre bat en elle et nous le ressentons profondément.

L'AMBRE

Goutte de miel dorée
Dans la Terre profonde,
Légère comme une aile d'oiseau,
Sève cristalline,
En purifiant mon corps
Tu ennoblis mon âme
Et proclames partout
Le pouvoir de la nature.

Si l'on pouvait faire entrer les pierres précieuses dans des catégories différentes, comme c'est le cas en matière de boxe, l'ambre ferait partie des « poids légers ». Il est composé de sèves et de résines variées provenant de matières organiques végétales, minéralisées et fossilisées, dans lesquelles sont parfois inclus des insectes, des fougères et des fleurs. A cause de leurs structures moléculaires, ces inclusions donnent à l'ambre encore davantage d'énergie positive. Cette chaîne ininterrompue des formes de vie prouve à quel point la nature est puissante et combien forte est sa charge électrique.

La haute fréquence vibratoire de l'ambre nettoie et purifie l'organisme tout entier. Le rayonnement magnétique de la pierre est intense et fonctionne comme régulateur du système endocrinien et digestif. Il contribue aussi à stabiliser la rate, le cœur et facilite l'ouverture du premier chakra (base de l'épine dorsale), ce qui permet au Serpent de Feu de s'y infiltrer et de monter progressivement le long de la colonne vertébrale.

Les tons d'or plus clairs régissent l'activité mentale, alors que les couleurs plus foncées, rougeâtres, régénèrent l'énergie de la Kundalini en produisant des centres de chaleur dans les zones froides du corps et redonnent les pleins pouvoirs au plexus solaire, chakra en relation directe avec notre santé physique et mentale.

En Orient, l'ambre est la matière première qui sert à la confection des chapelets sacrés utilisés au cours des séances de méditation et de concentration. Les moines recourent à lui pour entrer en contact avec le rayon de la vision intérieure et atteindre l'état de clairvoyance.

LA CITRINE

La citrine est le symbole de la sagesse et de la paix. Elle stimule directement le corps mental, aiguise le niveau intuitif de notre esprit jusqu'à l'ouverture de la porte qui permet au « moi » intérieur de prendre possession du corps mental subtil.

Cette pierre éveille en nous la conscience cosmique en nous rappelant que l'une des obligations péremptoires de l'être humain est d'aider l'humanité à découvrir les voies de l'entendement et de la compassion.

La plupart des citrines actuellement en vente sur le marché sont des améthystes (cristal de quartz violet) qui ont été soumises à un degré de cuisson tel qu'il permet d'obtenir une couleur dorée ou jaune rougeâtre. Cette manière de faire rejoint le processus de la nature qui n'hésite pas à utiliser le Feu pour se transformer elle-même. La citrine naturelle possède, bien sûr, davantage de pouvoirs, mais je crois que la citrine cuite a tout de même de grandes propriétés.

Les teintes pâles de citrine contribuent à clarifier les idées et sont particulièrement bienfaisantes pour les systèmes endocrinien et digestif, nettoyant, purifiant et éliminant les toxines qui s'y sont accumulées. Quant aux tons plus foncés, plus « brûlants », ils aident à chasser la peur, l'angoisse et les pensées négatives surgissant du passé héréditaire, et à décongestionner le plexus solaire.

La citrine a un grand pouvoir calmant et apaisant. Elle combat activement la dépression, règle les problèmes de digestion et se montre efficace dans la lutte contre la constipation et dans le traitement du diabète.

LES PIERRES ROSES

LA TOURMALINE (GÉNÉRALITÉS)

La tourmaline est insurpassable quant à la beauté de ses couleurs et aux bienfaits que l'on peut en retirer. Elle imprègne quiconque la porte de vibrations positives. Elle est en effet totalement réfractaire aux vibrations négatives qu'elle ne retient, ni n'absorbe. En croissant, elle prend la forme de colonnes nervurées qui font penser à des tiges de plantes. La tourmaline est chargée de la chaude et de la puissante énergie solaire qui fait briller ses couleurs comme des fleurs.

Sensible, la tourmaline est la pierre des personnes sensibles. Subtile et tendre, elle est pourtant pleine de force. Sa particularité est de produire des charges électriques lorsqu'elle est chauffée ou refroidie (pyro-électricité) et de dégager un courant électrique à l'une de ses extrémités lorsqu'une pression est exercée sur son autre extrémité (piezo-électricité).

A cause de sa radio-activité naturelle, la tourmaline agit tout spécialement sur notre système nerveux, lequel fournit à nos glandes et à nos organes vitaux l'énergie dont ils ont besoin pour fonctionner correctement.

Cette pierre, cristal de quartz transparent, est parfois formée de plusieurs couches de couleurs dont les teintes et les nuances sont si subtiles — un arc-en-ciel en soi — que vous vous retrouvez littéralement envoûté par sa beauté, sa magie et son mystère, pour peu que vous soyez réceptifs.

La tourmaline est l'incantation de la joie et de l'harmonie. Ses couleurs — du noir à l'incolore — sont assorties aux différents chakras.

LA RUBELLITE (TOURMALINE ROSE)

Ouvre ton cœur sur toi-même,
Regarde-toi avec les yeux de l'amour,
De la compassion et de la compréhension !
Tu sauras que l'image que tu contemples
Dans le miroir de la perfection
Et de la puissance divines,
C'est toi !

La rubellite est la reine des tourmalines. Ses nuances sont variées, allant du rouge foncé aux tons violets, en passant par les roses tendres. Sa mission est de fortifier le cœur en amplifiant la volonté d'aimer et le sens du sacrifice.

Symbole de l'amour maternel, cette pierre canalise et intensifie notre besoin et notre désir de nous dévouer pour les autres. Elle nous rend perspicaces et réceptifs, contrôle notre état émotionnel tout en nous empêchant de succomber au désespoir. Ses teintes chaudes, pareilles au rubis mais cependant plus subtiles, agissent aussi sur le quatrième chakra (cœur) et nous forcent à ouvrir notre cœur à nous-mêmes, nous obligent à prendre conscience de notre propre valeur et de notre origine divine.

La rubellite nous enseigne que nous devons commencer par nous aimer avant d'aimer les autres et que la confiance en soi est indispensable si nous souhaitons user de nos pouvoirs au bénéfice de notre prochain. Notre responsabilité en tant qu'humains est d'apprendre à nous connaître, puis d'accepter l'amour qui nous habite et, enfin, de nous reconnaître à travers lui.

LA TOURMALINE « MELON D'EAU »

Une coupe de la tourmaline « melon d'eau » fait tout à fait penser à une tranche de ce fruit — d'où son nom — car elle met en évidence comme une écorce verte entourant un cœur rose. Cette pierre, à cause de ces deux couleurs, symbolise les forces opposées du yin et du yang, d'où sa propriété de pouvoir équilibrer la polarité en ramenant sur les méridiens adéquats les énergies dispersées dans le corps.

La tourmaline « melon d'eau » aide à surmonter les sentiments de culpabilité et les désordres engendrés par les conflits et la confusion qui entourent la question des rôles sexuels. Elle nous permet d'assumer notre dualité masculin-féminin et de la vivre avec plus d'assurance et d'harmonie dans tous ces aspects.

Fascinante et merveilleuse, cette pierre ouvre notre esprit, nous rend plus souples dans nos conceptions et plus larges d'idée ; elle nous rend aptes à affronter notre antagonisme intérieur avec plus de calme et de lucidité. L'influence de la tourmaline « melon d'eau » agit sur le cœur et sur le système nerveux : sa couleur verte nourrit le cœur et sa couleur rose l'apaise et l'harmonise.

LA RHODOCHROSITE

La rhodochrosite prend une variété infinie de formes et de couleurs, allant du cristal rouge clair jusqu'aux teintes de rose tendre et opaque, le tout « pris » dans un véritable tourbillon de motifs et de raies. Cette pierre est un remarquable émetteur d'énergie et permet l'intégration des aspects physiques, mentaux et émotionnels quand elle est sur le corps.

La gamme des roses apaise et réchauffe le cœur, éveillant des sentiments d'amour, de tendresse et de compassion.

Dans sa forme de cristal, la rhodochrosite est de couleurs rose doré ou rouge clair qui lui confèrent une grande beauté. Ces couleurs influencent beaucoup notre créativité, de même que notre intuition, car elles émettent des vibrations de haute fréquence qui engendrent de véritables champs de force autour des personnes qui les possèdent ou autour de leur habitation.

Si vous désirez amplifier ces champs de force, faites monter votre rhodochrosite sur de l'or rose ou entourez-la de couleur rose dorée. L'or ou l'or rose à haute teneur en cuivre produisent le même effet sur d'autres pierres, telles que le rubis et l'améthyste dont les propriétés sont toutefois totalement différentes.

LA RHODONITE

Bien que moins puissante que sa sœur la rhodochrosite, la rhodonite, de par le rose de sa couleur, a un effet bienfaisant sur le cœur.

Au départ, la rhodonite est une pierre rose contenant des inclusions dentritiques noires d'oxyde de manganèse qui ressemblent à des veines. Le polissage la rend d'une belle translucidité et en fait une gemme recherchée en bijouterie.

La rhodonite est à conseiller à toutes les personnes qui ont des problèmes d'adaptation mentale et de confusion car elle prodigue paix et tranquillité d'esprit.

LE QUARTZ ROSE

Le quartz rose n'a pas un très grand pouvoir de guérison, mais il est bien agréable à l'œil. C'est un joli cadeau à offrir et il est très décoratif dans une pièce. Poli, il devient un superbe bijou.

La chaleur des teintes rose tendre du quartz rose incite à la tendresse et à la bonté.

Cette pierre croît en abondance dans la Terre, certainement pour nous rappeler l'importance de l'amitié et du plaisir de donner.

LES PIERRES VERTES

L'ÉMERAUDE

L'émeraude est la déesse des pierres précieuses. La puissance et la beauté de son rayonnement lui permettent de faire pénétrer les qualités divines dans notre âme. Sa lumière dorée combinée avec celle, bleue, de l'Esprit infini se manifeste dans l'étincelle verte de la créativité.

Symbole de régénération et de vie, l'émeraude nous aide à acquérir une âme lumineuse et à l'unifier avec la couleur spirituelle de la Terre. Elle représente la renaissance — on serait tenté d'écrire « re-naissance » — et le développement d'un corps plus beau que le précédent, dans lequel une âme toute neuve va s'ouvrir à la création artistique.

L'émeraude dispense la paix et l'harmonie au cœur, au corps, à l'âme et à l'esprit. Son rayon nous met en contact avec les forces de la nature dont il est issu. Il revivifie, apaise, magnétise, tonifie et agit sur nos maladies tel un rayon laser dont il a la précision et la puissance. Il émet constamment des vibrations qui soignent, qui équilibrent et qui permettent à celui qui cherche l'inspiration de s'accorder avec l'environnement et de se concentrer sur lui-même en toute quiétude.

La Lumière de la croissance qui existe dans cette pierre donne la possibilité d'accéder à de très hauts niveaux de conscience dans lesquels nous sont révélés les mystères cachés du Ciel et de la Terre. Que l'émeraude soit taillée ou non, peu importe : l'efficacité de son champ de force est identique. Peut-être vaudrait-il mieux cependant faire une petite restriction au sujet des émeraudes plus opaques qui se prêtent davantage au traitement des problèmes d'ordre physique, alors que les pierres transparentes conviennent à la méditation, à l'inspiration et à la guérison spirituelle.

L'émeraude est placée à la fois sous l'influence de la Lune et sous celle de Vénus. On en trouve avant tout en Amérique du Sud (Brésil, Colombie) et au Mexique où les Indiens l'utilisaient dans le rituel de leurs cérémonies religieuses. Sa beauté a inspiré la Légende d'Esmeralda :

O Esmeralda
Ton feu vert
Nourrit mon corps et mon âme.
Insurpassable est ta beauté,
Incomparable ta lumière :
Tu es le don parfait.
Je te rends grâces
Esmeralda,
Déesse qui règne sur la compassion et l'amour.
Tu as ouvert mes yeux
Afin que je puisse voir ta lumière.

En Egypte et en Orient, la croyance voulait que l'émeraude était efficace dans le traitement des maladies des yeux et pour protéger contre le mauvais œil. Les lapidaires se servent quelquefois d'eau d'émeraude comme collyre.

Cette pierre est aussi le symbole de l'abondance et de la richesse. Si vous désirez attirer la chance sur vous, je vous conseille de boire de l'eau d'émeraude. Voici comment procéder : faites tremper votre émeraude dans un verre d'eau pendant toute une nuit. Le lendemain matin, sortez-la du verre et buvez-en l'eau en remerciant votre pierre pour ses bienfaits et en l'assurant de la confiance que vous avez en elle. C'est l'essence même de votre pierre que vous boirez — une « infusion » d'émeraude en quelque sorte — et c'est votre corps éthérique qui en sera le bénéficiaire.

Portez votre émeraude toute seule, ou avec un diamant qui représente la Lumière, car son pouvoir diminue ou devient nul au contact des autres pierres.

LA MALACHITE

Moi, malachite,
Rêve ancien de l'Egypte,
D'Horus je suis les yeux
Et la vie éternelle.

Moi, malachite,
Rayon vert régénérateur,
Pouvoir de la création,
Je place dans ton cœur
Mon pouvoir guérisseur.

Moi, malachite,
Semence du Grand Vide,
Source de la Fontaine mystique,
Ne cherche pas à me comprendre : ressens-moi.

La malachite est le symbole de la créativité et du changement. Ses merveilleux motifs d'yeux, de spirales, de raies et de cercles dessinés dans l'alternance des nuances de couleur nous donnent une image de l'évolution cosmique. Cette pierre nous délivre le message du Feu vert dans le Grand Vide noir de l'Univers déployé, matrice de la création, fontaine mystique d'où toutes les manifestations physiques sont nées.

La densité et l'opacité de cette pierre représentent le physique, le matériel. Durant notre séjour terrestre, nous devons maîtriser la densité. Nos processus créatifs matériels nous amènent à comprendre la nature de l'Esprit. L'essence de la malachite, la variabilité, atteint toutes les parties de notre corps et le moindre recoin de notre âme. Elle nous rend conscients de nos peurs et de nos désirs les plus profonds, ceux qui sont enfouis au tréfonds de notre cœur, et nous conduit jusqu'au bout de l'ultime expérience : la Création.

Pierre sacrée de l'Ancienne Egypte, la malachite y était utilisée de diverses manières. Elle était portée sur le corps par les femmes enceintes pour protéger leur grossesse, pour en assurer le bon déroulement. Quant aux guérisseurs, ils posaient ces pierres sur les centres vitaux du corps — comme je le fais moi-même actuellement — pour équilibrer et harmoniser tout l'organisme. Les Egyptiens réduisaient également cette pierre en poudre pour en fabriquer une pâte qui servait à traiter les maladies des yeux, ou était tout simplement employée comme cosmétique.

S'il est vrai que la malachite guérit les yeux, le cœur et l'être tout entier, elle participe aussi à l'ouverture de l'œil interne. Laissez-moi, à ce propos, vous faire part d'une expérience personnelle que j'ai vécue alors que je résidais en Arizona, au début de mon travail de recherche sur les pierres précieuses.

Un ami, amoureux lui aussi des pierres, m'avait invitée à faire une promenade le long d'une rivière tarie, desséchée dans le silence étouffant du désert. Nous avions posé des morceaux de malachite sur nos corps, à l'endroit des chakras, ainsi que sur nos visages. Nous fîmes un voyage magique : soudain, je n'ai plus senti mon corps et mon esprit s'envola, planant au-dessus du désert en compagnie d'un aigle et d'un faucon. Je regardais la Terre qui s'étirait en bas et je la « compris ». Quelle renaissance, quelle régénération totale du corps, de l'esprit et de l'âme venaient d'avoir lieu en ce jour !

Dès lors, j'aime sans retenue cette pierre au pouvoir si fort et je lui fais totalement confiance. Les malachites sont mes instruments de guérison les plus fidèles.

La malachite nous regarde avec les yeux anciens de la compréhension, de la sagesse et de l'amour.

LE JADE

Paix et tranquillité,
Protection et bonne fortune,
Promesses des dragons et des dieux
Gravés en moi,
Ma beauté et mon éclat
Sont harmonies de la forme
et de l'Esprit.

Le jade est la pierre la plus vénérée de l'Orient qui en a fait le symbole de la paix et de la sérénité à cause de ses merveilleuses propriétés apaisantes.

L'effet, sur notre corps, du subtil impact de ses vibrations dure très longtemps et nous permet d'éveiller lentement la conscience à l'intérieur de chacun de nous. Le jade n'absorbe aucune vibration négative, mais émet un rayonnement positif permanent, des ondes harmonieuses qui guérissent.

Durant notre croissance émotionnelle, le jade infiltre en nous le sens du sacrifice. Dans la Chine ancienne, l'Empereur de Jade était un dieu cosmique, déité associée à la puissance mise au service du sacrifice. Il était aussi le gardien des vertus impérissables telles que l'humilité, la sagesse, la justice et le courage.

Au Mexique, dans les pays orientaux et extrême-orientaux, de grandes et merveilleuses effigies et sculptures ont été taillées dans des blocs de jade dont la dureté se prêtait particulièrement bien au travail de l'artiste. Le dragon de jade chinois a un double symbole : protection et force intérieure, chance et longue vie. Toujours en Chine, plusieurs pendentifs de jade étaient fixés à la ceinture, sensés non seulement porter bonheur, mais aussi produire un beau son, agréable, lorsqu'ils se touchaient. Les danseuses se paraient de ce genre de ceinture et dansaient sur les sons et les rythmes provoqués par leurs mouvements. Ces pendentifs de jade figurent dans un très vieux poème chinois : « ... Celui qui, à toute autre musique, préfère le tintement des pendentifs de jade a entendu cette pierre pousser dans la roche... ».

Le message d'harmonie délivré par le jade est universel. Des chapelets de jade sont employés en méditation, en contemplation et pour calmer l'agitation intérieure. Pour revenir à la Chine, mentionnons que les hommes d'affaires enfilaient leurs mains dans leurs manches pour pétrir entre leurs doigts, pendant toutes leurs négociations, les précieuses billes de jade.

Le jade et les membres de sa famille, la néphrite et la jadéite, se présentent dans une multitude de couleurs et de nuances, ce qui permet de les différencier dans leurs caractéristiques propres. Les tons blancs ou crème apaisent le système nerveux en général. Les teintes tirant sur le mauve et le lilas ont un rapport avec le cœur, son équilibre et son état émotionnel. Le vert foncé et le vert impérial ont un effet curatif sur le corps dans son entier.

LA TOURMALINE VERTE (OU VERDELITE)

Les nuances de la tourmaline verte sont d'une grande variété et nous prodiguent tout le potentiel d'équilibre qui est l'apanage de notre mère Nature.

Les vibrations de cette pierre sont subtiles, mais pourtant dynamiques. Elles apaisent l'esprit par l'intermédiaire du système nerveux et nous donnent envie de régler nos conflits intérieurs avec calme et sagesse.

La tourmaline verte nous communique une certaine sérénité ; elle régénère et rajeunit l'ensemble de notre corps, « réaligne » notre corps mental en détruisant nos vieux concepts et nous pousse à découvrir un autre niveau de conscience. Chaque personne est automatiquement attirée par la nuance de vert dont elle a besoin.

Cette pierre a une action bénéfique sur les maladies de cœur, sur l'asthme et sur la régulation de la pression sanguine.

LA TOURMALINE VERT INCOLORE

La tourmaline d'un vert pour ainsi dire incolore est en fait une pierre bicolore dont les propriétés sont de calmer et d'équilibrer l'activité cérébrale et l'influx nerveux.

Son rayonnement lénifiant constitue une aide précieuse dans le traitement des maux de tête et des inflammations.

LA CHRYSOPRASE

La chrysoprase, de couleur vert pomme, se révèle être une pierre des plus efficaces lorsqu'il s'agit d'équilibrer les corps physique, mental et émotionnel.

Le courant d'énergie qu'elle émet est régulier et produit un effet tranquillisant. Ses vibrations paraissent clarifier les idées et renforcer la vision intérieure. Grâce à leur influence, les « images-pensées » enfouies dans le subconscient se matérialisent en idées créatives aussitôt qu'elles atteignent le niveau du conscient.

C'est avec succès que l'on fait appel à la chrysoprase dans le traitement des maladies mentales dues à un déséquilibre du système nerveux. Dans ces cas-là, il ne faut pas perdre de vue que les nuances de vert plus foncées ont des fréquences vibratoires supérieures à celles des teintes claires. Néanmoins, tous les tons de vert de cette pierre peuvent être utiles lorsqu'il s'agit de soigner des névroses, des complexes d'infériorité et l'hystérie.

Les rayons vert doré de la chrysoprase ont aussi de l'effet sur le cœur, qu'ils nourrissent, apaisent et revivifient.

LE PÉRIDOT

L'éclat vert doré du péridot est vitreux et huileux. A cause de sa haute teneur en jaune et de la propriété qu'elle a de développer les capacités mentales, de tranquilliser et de stabiliser les émotions, cette pierre a éte surnommée la « pierre d'or ».

Parmi les civilisations anciennes, les Atlantes, les Egyptiens, les Aztèques, les Incas et les Toltèques recouraient déjà au péridot pour calmer, purifier et équilibrer le corps physique.

Cette pierre du Soleil nous aide à ouvrir notre Troisième œil et nous incite à vivre de manière créative.

Le péridot a un pouvoir nettoyant remarquable. Il favorise la digestion, combat la constipation, l'inflammation des intestins et les ulcères. La rate est l'organe qui profite le plus de sa bienfaisante énergie curative.

LA DIOPTASE

La dioptase, superbe cristal vert foncé, est une pierre jeune qui croît dans la même gamme de vibrations que l'émeraude.

Le fort rayonnement vert et curatif de cette pierre nous fait penser aux richesses de la Terre.

On sait encore peu de choses sur cette gemme et pourtant je me sens personnellement très attirée par elle. Sa belle lumière verte inspire. Je porte une bague sertie d'une grosse dioptase vert foncé qui me rappelle la lumière du Dragon vert de la protection et de la vie, de la chance et de la force.

L'AVENTURINE

L'aventurine est un quartz translucide ou opaque à qui des inclusions de minuscules plaques de mica donnent un reflet métallique.

Cette pierre n'est pas dotée de grandes propriétés curatives. C'est plutôt ce qu'on appelle une pierre « à toucher » (anglais : touchstone[1]) et son influence est par contre excellente lorsqu'il s'agit d'inviter au calme et à la sérénité.

Porter une aventurine ou en décorer son environnement est tout ce qu'il y a de plus bienfaisant.

L'AGATE MOUSSE

L'agate mousse, comme son nom l'indique, fait penser à la mousse dont elle peut prendre toutes les nuances de vert. Cela nous rappelle par la même occasion que les pierres, tout comme les plantes, poussent dans la Terre.

Cette pierre n'a pas beaucoup de pouvoir curatif, mais elle recèle tellement d'énergie de la nature qu'elle en devient une « collaboratrice » appréciée par tous ceux qui travaillent la Terre.

Elle est aussi ce que l'on pourrait appeler une pierre « à toucher » (en anglais : touchstone).

LE JASPE VERT

Les énergies de la Terre sont très vivantes dans le jaspe vert qui nous les transmet avec intensité. Si vous la portez ou si vous la placez dans votre environnement, cette pierre vous les fera sentir avec acuité.

Le jaspe vert donne à ceux qu'il attire harmonie et équilibre. Son influence est bienfaisante et tranquillisante.

1. Pierre que l'on ne doit pas forcément porter, mais qu'il suffit de tenir un instant dans la main. Voir également « *Effet tactile* », p. 135).

LES PIERRES BLEU VERT

L'AIGUE-MARINE

Eau de la mer,
Eau de la mère,
Tu apaises ma soif d'Esprit,
Purifies mes pensées et mon âme.

Inspiration de l'Infini,
Tu éclaires les Ténèbres,
Élèves mon cœur,
Illumines mon regard.

Tout au long du chemin
Qui conduit à l'Éternel,
Tu me consoles.

Marie est ton nom
Et ton visage est innocence
et pureté.

Lumineuse et transparente, l'aigue-marine est la pierre des mystiques et des prophètes. Le bleu vert de la Mer cosmique reflète la lumière du Soleil sur les vagues de l'Esprit.

L'influence de l'aigue-marine est subtile, toute en douceur, mais dure très longtemps. Ses vibrations pénètrent jusqu'au plus profond de notre âme. Elles stabilisent notre émotivité, équilibrent nos activités physique et mentale.

Pierre purificatrice par excellence, je l'utilise pour nettoyer la gorge de toutes les pensées impures, non formulées, qui s'y trouvent bloquées.

L'aigue-marine nous aide donc à conserver la pureté et l'innocence du cœur et de l'esprit ; grâce à elle, nous nous voyons tels que nous sommes.

Son efficacité ne fait aucun doute pour régler les troubles qui surviennent dans la gorge, à la mâchoire et aux glandes. Elle s'exerce également dans le traitement de douleurs d'origine nerveuse, de maux affectant la nuque, les dents.

LA TURQUOISE

Du plus profond de l'océan
Jusqu'au plus haut sommet du Ciel,
Par toi,
Turquoise,
L'Esprit nous parle d'Infini.

La turquoise est le symbole du bleu de la mer conjugué avec le bleu du Ciel. L'infini de l'océan, c'est notre âme, profonde et secrète. L'infini du Ciel, c'est notre esprit en route vers l'ascension sans limites.

Opaque comme la Terre, cette pierre nous ouvre les portes du Ciel par sa couleur. A la fois sagesse de la matière et de l'esprit, à la fois vieille et jeune, elle représente l'union de l'expérience et de l'enthousiasme.

La turquoise nous enseigne que nous sommes nés de l'Esprit. Toutes les civilisations terrestres tournées vers le mystique ou le spirituel, qu'elles soient anciennes ou plus récentes, ont toujours considéré cette pierre comme parmi les plus sacrées. C'était notamment le cas en Ancienne Egypte et en Perse où elle était associée à la pureté. Les moines tibétains et les chamans indiens croyaient que la turquoise était le support de l'atmosphère terrestre et qu'ainsi, grâce à elle, la vie pouvait exister et la respiration s'accomplir.

Toujours au Tibet, il existe un pont qui s'appelle le « pont de turquoise ». Comme cette pierre est sensée attirer la chance, les moulins à prière et les amulettes de cette région du globe en sont décorés. Pour soigner leur magnifique chevelure longue et brillante, les femmes tibétaines y fixent de grands peignes ornés de turquoises, ce qui les met encore plus en valeur. Cette pierre est aussi un garant de bonne santé et les Indiens sont, de plus, persuadés qu'elle constitue une protection puissante de l'âme et du corps.

La turquoise a la faculté d'absorber les pensées et sentiments négatifs circulant autour de la personne qui la porte. Sa couleur se modifie si elle est portée par une personne malade ou si cette dernière est exposée à un malheur imminent. Il arrive même que cette pierre se fende dans l'accomplissement de son rôle de protection, comme si elle s'offrait en sacrifice.

La haute teneur en cuivre de la turquoise lui confère de grands pouvoirs curatifs.

LA CHRYSOCOLLE

Mère de la création,
Tu nourris la semence de la clarté
Que tu nous a donnée
Afin qu'un jour
Nos rêves se transforment
En réalité cristalline.
Ton amour, ta miséricorde et ta compassion
Guident nos cœurs à travers ta beauté.

La chrysocolle est la sœur cadette de la turquoise. Pierre de Vénus, elle est le symbole de la beauté, de l'amour et de l'harmonie.

Douce mais forte, elle ressemble à son aînée qu'elle surpasse toutefois en luminosité, ce qui la destine à agir sur un niveau de conscience plus élevé que ce dont la turquoise est capable.

La chrysocolle calme les émotions, apporte la paix au cœur et à l'esprit. Elle nous soulage des sentiments de culpabilité et des inquiétudes qui nous empêchent de vivre en harmonie avec nous-mêmes.

Comme elle est friable, cette pierre peut entrer dans la composition de médicaments.

LES PIERRES BLEUES

LE SAPHIR

Étoile bleue,
Lumière des cieux calmes,
Tu parles de loyauté, de dévotion.
Tu emplis mon cœur de foi, d'amour
Et donnes la sagesse à toutes mes actions.
Messager cosmique,
Tu viens du royaume de la réalité infinie
Afin que par ton éclat
Nous soyons purifiés.

Les rayons lumineux qui émanent du saphir font sa force. De toutes les pierres bleues, c'est lui qui possède le plus de feux. Issue de la Terre et transformée par le rayon bleu, cette gemme spiritualise, purifie et guérit.

La lumière profonde du saphir bleu nous fait entrevoir l'infinité cosmique, le grand mystère de la réalité infinie. Ses vibrations pénètrent dans le tréfonds de notre âme, la transforment et lui ouvrent la voie menant au Très Haut Royaume.

Le saphir a eu son rôle à jouer dans la représentation des grands mystères. Utilisé par les yogis, par les saints et par les guérisseurs, il est l'instrument sacré de la méditation et de la foi.

Cette pierre bleue est en rapport direct avec la gorge (le cinquième chakra), centre de la pureté dans lequel mots et pensées doivent être « nettoyés ». La gorge est en effet la porte d'entrée de notre nature spirituelle, le passage ménagé entre le cœur et la pensée, entre l'émotion et l'action. C'est précisément à cet endroit du corps que se manifestent le plus souvent les blocages : tous les refoulement émotifs et mentaux s'entassent en effet dans le cinquième chakra, créant un embouteillage paralysant. Pour être aptes à exprimer avec clarté nos intentions et nos sentiments, il faut par conséquent rétablir la circulation dans cette zone. Ne perdons pas de vue, non plus, que le cinquième chakra nous permet d'établir le contact avec l'Univers et que le bon fonctionnement de ce centre d'énergie est déterminant pour le développement de notre prise de conscience intérieure et de nos pensées.

Le saphir présente une variété infinie de bleus, allant du bleu clair au bleu foncé indigo. Les tons clairs créent une ambiance sereine et optimiste qui favorise la méditation. Quant au saphir indigo, nous y reviendrons à la page 113).

Le saphir étoilé n'est pas doté de pouvoirs aussi forts, mais il donne tout de même une propension à la créativité et à l'apparition de pensées spirituelles.

Le saphir blanc fait office de filtre des pensées impures alors que le saphir jaune, lui, les purifie.

LE LAPIS-LAZULI

Le lapis-lazuli est une pierre opaque, d'un bleu roi intense. Il est le symbole de l'immense étendue de l'Esprit infini des cieux. L'Atlantide et l'Ancienne Egypte en avaient fait la « super-star » des pierres sacrées.

Cette gemme représente la Lumière absolue — sans laquelle la Terre n'aurait pas été créée — qui réside au cœur même de l'amour et de la beauté, harmonisant le « en-dehors » et le « en-dedans » et inspirant un idéal de communion et de coopération entre tous les êtres vivants.

Le lapis-lazuli, symbole de l'illumination de l'esprit, possède un « curriculum vitae » impressionnant. En Egypte, on taillait des scarabées dans cette matière pour symboliser doublement l'Infini, puisque celui-ci était ainsi représenté à la fois par l'insecte et par la pierre.

Bien des paroles sacrées et des mantras ont été gravés dans le lapis-lazuli, conférant de ce fait à cette pierre une haute capacité d'action ésotérique.

Le bleu du lapis-lazuli est le bleu de l'Islam. Il a inspiré quantité de sculptures que l'on rencontre dans les mosquées. Les églises et les palais de l'ancienne Russie en étaient aussi somptueusement décorés.

Pierre de la méditation et de la contemplation, le lapis-lazuli enseigne à notre âme que l'amour, l'immortalité et Dieu ne font qu'un.

Ce sont les pierres à profonde intensité lumineuse, aux nuances claires et d'un bleu exotique brillant qui sont les plus efficaces. Les inclusions de pyrite, outre qu'elles servent à prouver l'authenticité du lapis-lazuli, lui donnent un éclat particulièrement remarquable et une énergie positive.

Le lapis-lazuli est doté d'immenses propriétés curatives. Il purifie le corps tout entier. En pénétrant profondément dans les nœuds et « embouteillages » formés dans les zones du gosier, ses rayons bleus les défont, les décongestionnent, ouvrant de ce fait le passage à la parole sacrée. Tout ce qui a été dit au sujet de l'influence du saphir bleu sur le cinquième chakra est valable pour le lapis-lazuli, excepté que ce dernier, à cause de son opacité, travaille davantage à un niveau physique.

Grâce à cette pierre, nous pouvons et nous devons nous libérer des pensées et des émotions qui empêchent notre véritable « moi » de s'exprimer, de s'épanouir. N'oublions pas non plus que la parole est notre privilège le plus grand et que les modulations de la voix sont révélatrices quant à la progression de l'évolution spirituelle.

Le rayon bleu rafraîchissant du lapis-lazuli soulage les inflammations et les enflures et nous rappelle en même temps la loi de la complémentarité : là où le rouge brûle, le bleu doit rafraîchir.

LA TOPAZE BLEUE

Des informations générales sont déjà données sur la topaze à la page 89 et nous recommandons au lecteur de s'y référer également.

La topaze bleue est une gemme merveilleusement belle, translucide et brillante. Son rayon d'un bleu lumineux et clair rafraîchit, apaise et inspire.

La magie de cette pierre réside dans son pouvoir de coagulation de sa propre énergie magnétique. Du fait de sa double aptitude d'émetteur et de récepteur, la topaze bleue s'apparente à l'ambre et à la tourmaline.

La topaze bleue représente le bleu du Ciel de l'Eternité et de ses vibrations émanent toute la clarté et la pureté de la recherche spirituelle. Ses vertus nettoyantes et purificatrices sont très utiles dans les soins à donner à la gorge notamment et lorsqu'il s'agit d'équilibrer le système nerveux.

Tous les artistes devraient posséder une topaze bleue. Ils pourraient en effet se charger de sa grande force magnétique avant d'entreprendre une œuvre et bénéficier d'une inspiration sans faille.

LA SODALITE

La sodalite est une pierre bleu foncé. Elle est encore en cours d'évolution et ressemble au lapis-lazuli, mais ses propriétés sont moindres. La densité de cette pierre est trop forte pour que la sodalité puisse être utilisée pour la méditation ou la réflexion.

Par contre, si la sodalité est placée à côté d'une autre pierre bleue, de même intensité vibratoire, son pouvoir peut s'en trouver accru et elle devient alors apte à exercer une influence bienfaisante sur nos glandes.

En joaillerie, la sodalite est très recherchée car elle se sculpte et se grave facilement.

LES PIERRES INDIGO

LE SAPHIR INDIGO

La qualité « illuminante » du saphir indigo accroît toutes les activités qui ont trait à la manifestation de la sagesse. La dominante de cette pierre est l'Universalité : Dieu dans l'homme et l'homme dans Dieu.

La force des vibrations du saphir indigo développe l'intuition et les perceptions extra-sensorielles de manière à ce que nous voyions la lumière de la vérité et que nous atteignions la sagesse. Le rayon indigo balaie la confusion, chasse les illusions et l'intellect et apporte à l'âme le repos de la raison. Il nous apprend quelle est la différence entre l'apparence et la réalité.

Le saphir indigo contribue à la transfiguration de l'esprit, dans tous ses aspects, nous permettant ainsi de passer de la pensée concrète au concept abstrait. Cette pierre est gouvernée par Saturne qui, dans le futur, ne sera plus tenue comme la planète de l'obstruction (c'est ainsi qu'on la considère aujourd'hui), mais comme le guide de l'être humain durant son voyage évolutif.

Cette gemme est extrêmement efficace dans le traitement des troubles mentaux. Son rayon est capable d'expulser les éléments négatifs hors de la conscience et de les remplacer par des éléments positifs.

L'AZURITE

L'azurite est un cristal bleu foncé, avec une touche de violet qui nous rappelle « l'œil de l'Esprit ».

Symbole de la vision intérieure et de la sagesse, cette pierre représente la sensibilité achevée, la perception spirituelle, l'occulte, l'intuition et la clairvoyance. Elle est dotée de possibilités étonnantes : ses vibrations très élevées nous ouvrent la « porte du Ciel » et nous conduisent à l'illumination.

La nature vibratoire de l'azurite va bien au-delà de la pensée et de l'émotion : elle touche en nous l'être spirituel.

C'est la pierre idéale et merveilleuse à poser sur votre Troisième œil pendant les séances de méditation. Vos visions se transforment en effet en perceptions et vos images en présence consciente. N'hésitez pas à l'utiliser si vous avez des blocages spirituels !

L'azurite peut rendre de grands services aux étudiants en train de potasser leurs examens. Elle fortifie la mémoire et favorise la réceptivité intellectuelle. Il suffit simplement de mettre la pierre sur la table de travail, ou à côté de soi.

La vocation naturelle de l'azurite est d'aider le développement de l'être humain, plutôt que d'être utilisée en bijouterie.

LES PIERRES VIOLETTES

LE QUARTZ AMÉTHYSTE

Mystique joyau du Pouvoir Absolu,
Majestueux éclat de l'inspiration,
Par ton sacrifice
Et ta propre purification
Tu nous offres la clef
De la transmutation.

Le quartz améthyste est le scintillant symbole de la transmutation. Il représente le processus alchimique agissant sur nos trois natures : physique, émotive, spirituelle. Pour l'améthyste, cette transmutation s'opère sous deux formes : cristallisée et non cristallisée. Les teintes sont variées, allant du violet clair au violet foncé ; la couleur la plus soutenue se trouve à la pointe du cristal.

Cette pierre est en relation avec le septième chakra (sommet de la tête), la couronne, qui est le sanctuaire de l'esprit, la porte d'entrée des forces supérieures.

Le Feu rouge des sensations s'est élevé jusque dans le bleu de la vie spirituelle. Le rouge de l'action physique a fusionné avec le bleu du Divin pour créer le violet, symbole de la nature spirituelle qui a atteint la majesté et la noblesse grâce à la souffrance. La « robe pourpre » attend l'initié au bout du chemin qui l'a conduit de sa demeure matérielle à son palais spirituel.

L'améthyste « travaille » sur les différents plans de notre être, à la frontière qui sépare la perception du mystère. Pierre de l'inspiration, elle nous invite à la méditation. Pierre de l'altruisme, elle nous pousse à mettre notre foi en Dieu au service de l'humanité.

Cette gemme était bien connue des premiers Chrétiens qui l'avaient choisie comme symbole du sacrifice, de la pureté et de la chasteté, vertus de l'ère des Poissons.

Grâce à l'énergie qu'elle nous apporte, l'améthyste transmute notre conscience, transformant nos vieux concepts et nos anciennes habitudes en de nouvelles pensées plus élevées et en des états émotionnels neufs et plus nobles.

Les radiations ultraviolettes du spectre de l'améthyste ont un puissant effet curatif. Cette pierre est utilisée dans la thérapie par la couleur pour accroître encore l'action de la Lumière ; la musicothérapie et la chirurgie ont d'ailleurs également recours à cette propriété de l'améthyste, dont le rayonnement opère des changements sur les molécules et les cellules des substances organiques végétales, animales et humaines.

En outre, l'améthyste dissipe la colère, la fureur, la peur et l'anxiété qui détournent notre esprit de la connaissance spirituelle. Elle éclaire nos rêves.

La densité extrêmement élevée des vibrations de cette pierre est agissante dans le soulagement des fortes douleurs de tous genres, non seulement corporelles, mais aussi morales : chagrin intense, souffrance d'ordre psychique, qu'elle apaise grâce au réconfort qu'elle dispense.

Si vous êtes sujets aux maux de tête ou à l'insomnie, tapotez et frottez très doucement vos tempes avec la pointe et les côtés de votre pierre.

Même les infections du sang telles que les eczémas et les furoncles, ainsi que les maladies vénériennes peuvent être traitées avec succès en recourant à l'améthyste.

Les pierres d'un violet très foncé, à savoir celles qui émettent les rayons les plus puissants, « travaillent » en relation avec l'énergie de la Kundalini. Elles stabilisent la polarité sexuelle.

Dans le temps, les pierres tirant plutôt sur le bleu foncé étaient utilisées dans les cérémonies religieuses au cours desquelles on cherchait à modifier la conduite des participants en éliminant et en faisant disparaître leurs comportements conventionnels.

Quant aux améthystes mauves ou lavande, elles sont recommandées aux personnes qui étudient les sciences occultes. Ces teintes confèrent à l'aura un éclat empreint de sérénité. Les tons lilas inspirent l'amour de l'humanité et les tons orchidée représentent le grand idéal qui marquera le Nouvel Age.

A l'époque actuelle, les améthystes poussent à profusion dans la Terre. Cela démontre que notre planète éprouve le besoin de s'harmoniser de nouveau et de retrouver son équilibre. Il n'est donc pas difficile de se procurer une telle pierre. Comparé à la beauté et à l'aide qu'elle vous prodiguera, l'argent est bien peu de choses, soyez-en certains !

Et surtout, ne perdons pas de vue à quel point il est important de trouver l'équilibre entre le corps (rouge) et l'esprit (bleu) — *rouge + bleu = violet* — avant d'entreprendre notre voyage cosmique et de ne faire plus qu'un avec l'Infinité divine.

LA FLUORITE

La fluorite est une pierre jeune qui doit encore évoluer avant d'atteindre sa pleine puissance. Ses cristaux cubiques se présentent en une infinie variété de nuances exquises allant du lavande pâle au pourpre bleu foncé.

Cette pierre est un catalyseur qui transmute l'émotion en inspiration et nous amène, à travers l'apprentissage de l'Amour infini, à découvrir la joie du dévouement, de la vérité et de la sagesse. Soyons conscients que l'unique moyen dont il nous est possible de disposer sur notre planète pour progresser est le développement de notre vision intérieure.

Le message de la fluorite est très clair : la sagesse naît de l'harmonie, l'harmonie prend sa source dans la contemplation, la contemplation a son point de départ dans la paix intérieure et la paix intérieure nous guide vers la Lumière et la joie intérieures.

Les propriétés curatives de cette pierre sont semblables à celles de l'améthyste. Elles sont utilisées avec un maximum de bienfaits dans le traitement des maladies mentales et lorsqu'il s'agit du réveil spirituel.

La fluorite se rencontre aussi avec des nuances vertes très diverses. Cette couleur verte agit alors comme une prise de mise à la terre qui libère notre corps d'un trop-plein d'énergie physique ou de nervosité.

LES PIERRES BLANCHES

LA PIERRE DE LUNE

Pierre de Lune,
Ta douce lumière
Reflète nos émotions
Et révèle nos rêves.

La pierre de lune est une pierre des plus anciennes dont la signification spirituelle est particulièrement grande. Gouvernée par la Lune, elle symbolise le côté féminin de notre nature. Elle rend des services inappréciables lorsqu'il s'agit de calmer des réactions émotionnelles excessives et de violents troubles affectifs.

Considérée comme pierre sacrée dans la culture indienne, elle entrait dans la décoration des portes des temples sur lesquelles étaient sculptées des scènes érotiques qui représentaient l'unité de l'être spirituel dans sa dualité physique : le rêve masculin et l'émotion féminine unis dans la même étreinte.

La pierre de lune symbolise la force intérieure de l'être, celle qui aide notre âme à progresser. Elle peut être blanche et presque transparente avec parfois, à l'intérieur, une lumière bleutée ou diverses nuances crème. Ce sont les pierres claires et finement polies qui sont les plus efficaces.

Les femmes ne devraient jamais porter cette pierre au moment de la pleine Lune ou à l'époque de leurs menstruations car cela ne ferait qu'exacerber leur émotivité, et l'exagération n'est bonne en rien.

Par contre, je recommande vivement cette pierre aux hommes afin qu'elle les aide à s'ouvrir à leurs émotions et à accepter le côté féminin de leur nature.

L'OPALE

Translucide et mystérieuse, l'opale possède un spectre lumineux qui va du blanc laiteux au noir. Toutes les couleurs se reflètent en elle : elle est « totale ».

Bien particulier, son feu traversé d'éclairs de couleurs opalescentes peut être utilisé pour atteindre le niveau spirituel le plus haut et accroître la vision intérieure. Les couleurs irisées de l'arc-en-ciel agissent positivement sur tous les chakras. Certaines opales « travaillent » sur des centres vitaux déterminés, alors qu'une variété particulière d'opale noire est même capable de les harmoniser et de les équilibrer tous en même temps lorsque cela s'avère nécessaire.

La famille entière des opales élève notre niveau de conscience normal au niveau de conscience cosmique, rétrécissant le fossé existant entre le corps et l'âme : elle unifie le « je » et le « moi ».

Très poreuse, l'opale est fragile et risque de se briser ou de se fendre très facilement. Elle contient toujours un peu d'eau (jamais plus de 30 % du poids de la pierre). La diffraction et la réfraction de la lumière à travers cette eau et les fêlures minuscules sont à l'origine de l'opalescence, des reflets irisés qui changent chaque fois que l'angle de vision est modifié. Mais l'opalescence peut disparaître avec le temps si la pierre se déshydrate.

L'opale opaque, à l'éclat blanc laiteux, convient bien pour calmer l'émotivité. Quant à la couleur prédominante des autres opales, elle agit sur les chakras qui lui correspondent.

A maintes reprises, cette pierre a eu la réputation de porter malheur. En effet, elle n'absorbe la négativité de son ou sa propriétaire que pour mieux la lui rendre plus tard. Ce phénomène est l'application même de la loi karmique. En d'autres termes, cela signifie que si nous portons cette pierre avant de nous être débarrassés de nos pensées négatives, elle nous obligera de toute façon à être confrontés avec elles et à en subir les conséquences.

L'opale est la gemme qui montre le mieux comment certaines pierres ont le pouvoir de s'esquiver, de se cacher avec une étonnante facilité et même de disparaître si elles ne sont pas en harmonie avec la personne qui les possède. Ne vous étonnez donc pas si, un jour, vous ne trouvez plus votre opale, mais dites-vous plutôt que vos vibrations l'ont dérangée et qu'elle ne vous juge plus digne d'elle. Le moment venu, elle réapparaîtra. C'est là l'un des mystères de cette pierre.

Attention ! L'opale ne doit jamais être portée avec une autre pierre.

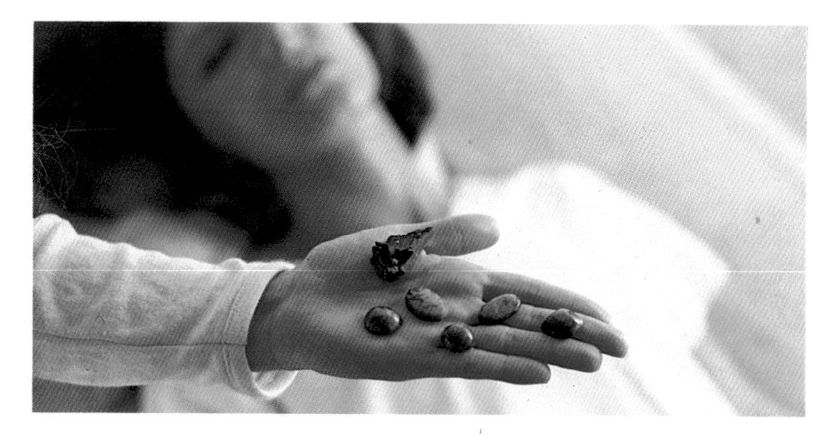

Pierres prêtes à être utilisées

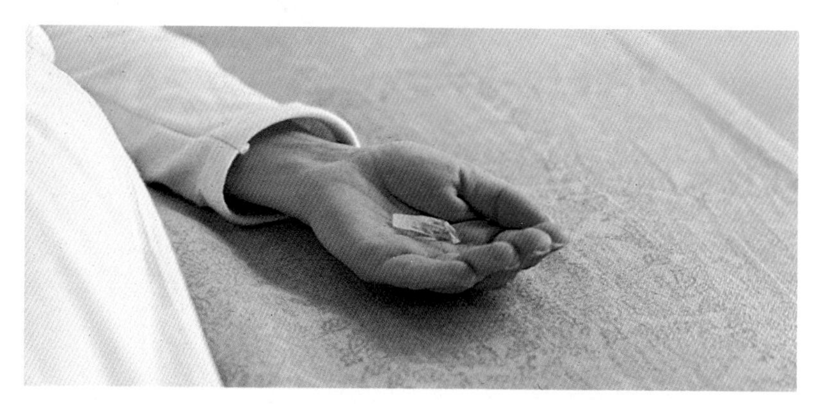

Le cristal de roche transmet sa force sur la main des patients

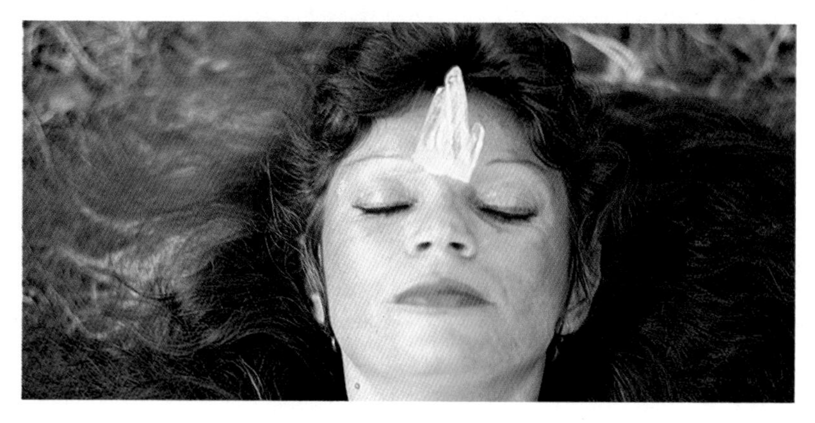

Cristal de roche posé, la pointe dirigée vers le haut, sur le sixième chakra (front) ou Troisième œil

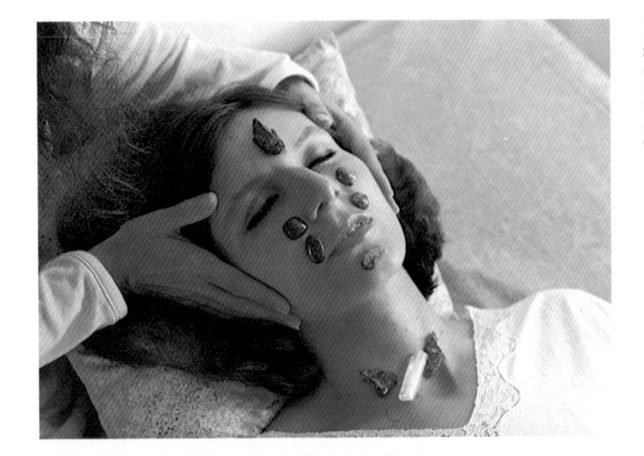

Les pierres sont posées sur les points sensibles pendant environ 20 à 30 minutes.
Leur action procure force et harmonie.

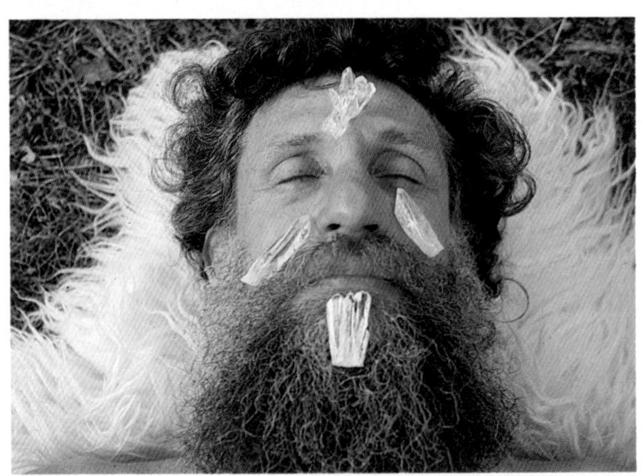

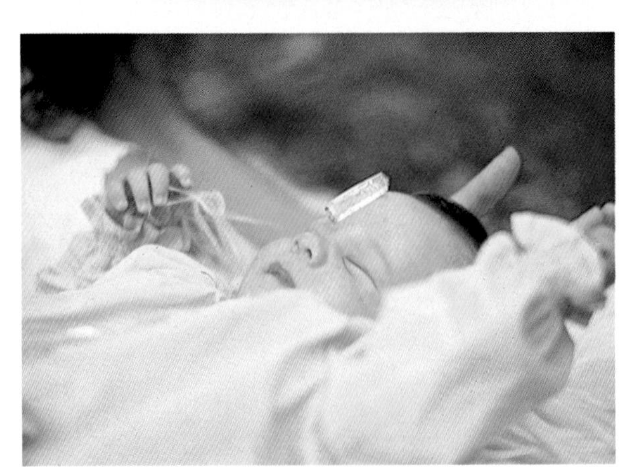

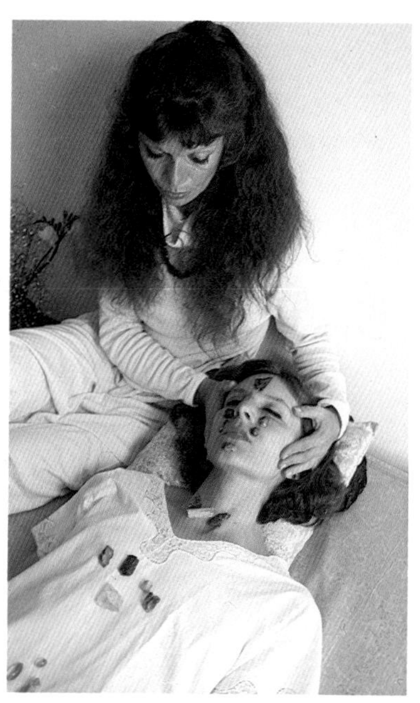

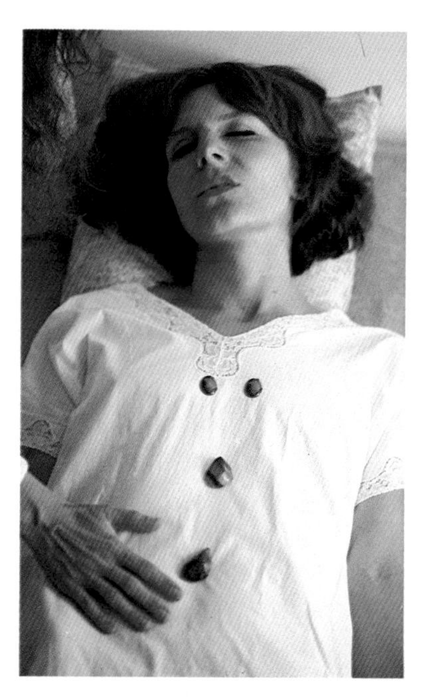

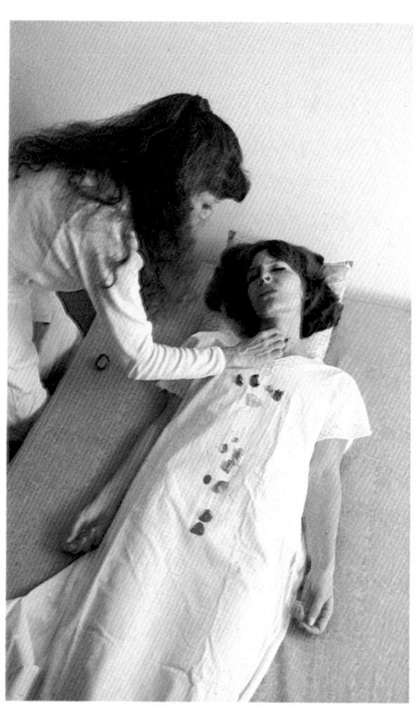

Pour d'autres lendemains

Quand mon regard se perd tout au bout de la mer
A l'endroit où le ciel s'allonge sur les vagues
Dans le creux d'un rocher, assise sur des algues
Peu à peu je me fonds avec tout l'univers

Alors une chanson ressurgit de très loin
Des mondes oubliés que je porte en moi-même
Une chanson d'amour, un immense je t'aime
Dont l'écho rejoindra mes autres lendemains

Quand mon regard se perd tout au bout du désert
Où l'horizon bleuté joue avec les étoiles
Aspirée par le ciel quand la lune se voile
Je ne forme plus qu'un avec tout l'univers

Alors une chanson ressurgit de très loin
Des mondes oubliés que je porte en moi-même
Une chanson d'amour, un immense je t'aime
Dont l'écho mènera à d'autres lendemains

Pourtant cette beauté où se perdent mes yeux
Ne touche pas des fous, aveugles sans conscience
Qui veulent tout changer alors qu'ils recommencent
Ce que d'autres ont fait et défait avant eux

Tous il nous faut chanter cette chanson qui vient
Des mondes oubliés tout au fond de nous-mêmes
Cet hommage à la Vie, cet immense je t'aime
Qui seul pourra sauver nos autres lendemains.

Yva Peyret

LA PERLE

Joyau de la mer,
Initié sacrifié sur l'autel
De la vérité,
Pour parvenir à être toi,
Perle de beauté,
Il faut aimer beaucoup se battre
Et beaucoup se battre pour aimer.

La perle est le joyau que nous offre la mer par l'intermédiaire de mollusques de type huître. C'est à partir d'un grain de sable ou d'un corps étranger « dérangeant » l'animal dans sa coquille que la perle prend forme, qu'elle se développe et qu'elle nous délivre ainsi son message de la transmutation.

Grâce à son exemple, nous sommes capables de comprendre le processus de notre propre développement et de notre lutte pour conquérir la vie intérieure. Peu importe que nous soyons humbles et opprimés, nous pouvons tous, un jour, devenir aussi beaux et rayonnants qu'une perle parfaite.

Symbole de l'initiation, du sacrifice et de l'Amour tout puissant, la perle nous enseigne comment parvenir à la liberté intérieure en faisant voler en éclats nos idées préconçues, nos émotions, et en brisant les chaînes de nos habitudes.

La perle absorbe l'énergie négative de la personne qui la porte et la lui renvoie à la manière d'un boomerang. Ce phénomène nous oblige à un face à face souvent douloureux avec notre propre négativité.

Il va de soi que les perles naturelles sont de loin plus efficaces que les perles de culture. L'éclat typique de la perle, appelé aussi « orient », dépend de la température de la mer, alors que sa couleur est liée à sa composition. Celle que l'on appelle la perle « baroque » est restée trop longtemps dans sa coquille et a perdu sa rondeur parfaite.

Lorsque les perles perdent de leur éclat, il est conseillé de les replonger dans leur élément naturel : l'eau de mer.

Les propriétés curatives des perles sont dues au calcium, aux minéraux et aux protéines qui sont à la base de leur formation.

On ne devrait pas porter de perles avec des autres pierres, surtout pas avec des diamants par exemple car cela risquerait d'amplifier vos conflits intérieurs. Toutefois, si la combinaison perle-diamant vous attire, n'hésitez pas car cela signifie que vous avez besoin de prendre conscience des tensions et des dissonances qui vous habitent pour mieux vous purifier par une « auto-confrontation ».

LES PIERRES NOIRES

LA TOURMALINE NOIRE

Semence invisible de l'infini,
Tu caches dans les ténèbres de la nuit
La clef de tous les mystères.

Symbole du mystérieux, du caché, de l'invisible et de l'abstrait, la tourmaline noire est la plus puissante des pierres noires à cause de son magnétisme et de la force de transmission de son énergie.

Cette pierre est en quelque sorte un déflecteur qui dévie le courant négatif alors que les autres pierres ont plutôt tendance à l'absorber. Elle constitue par conséquent le meilleur bouclier que vous puissiez trouver pour vos protéger des forces négatives.

L'aspect lisse et luisant de ce quartz noir est très attrayant. L'enseignement à en tirer est que l'essence de la vie doit prendre une forme afin de se manifester et de devenir visible sur le plan matériel.

Le contrôle de soi, la discipline et la stabilité sont les vertus que nous inspire la tourmaline noire.

L'ONYX NOIR

Gouverné par Saturne comme toutes les pierres noires, l'onyx nous apprend que, sous l'effet de la douleur et des chagrins, l'ego s'arrache à sa condition rudimentaire et commence à s'élever, fixant son attention sur des vérités plus transcendantes. Les maladies et les peines sont souvent le point de départ d'une régénération.

L'onyx noir est le maître suprême de l'ego : il l'assagit et le stabilise.

Puisqu'elle est poreuse, cette pierre est donc perméable, mais ne garde cependant pas l'énergie. Elle est capable d'absorber la négativité et en même temps de se laisser pénétrer par des vibrations positives. Et pourtant, elle ne retient pas ces énergies très longtemps, si bien que son action est de courte durée étant donné qu'elle se neutralise elle-même.

L'onyx noir se prête particulièrement bien à la taille et cette superbe pierre est très recherchée par les sculpteurs aussi bien pour la réalisation d'œuvres d'art que pour celle de bijoux.

L'OBSIDIENNE

L'obsidienne est une pierre noire, d'origine volcanique, semblable à du verre. Parfois, elle brille de part en part d'un noir luisant — comme les pierres originaires de Demlos, en Grèce — ou bien elle est comme mouchetée de flocons de neige.

Certaines tribus indiennes bien distinctes d'Amérique utilisent cette pierre au cours de leurs rituels car elles lui attribuent le pouvoir d'améliorer l'acuité de la vue et d'aiguiser la vision intérieure.

A cause de ses arêtes vives, l'obsidienne constituait un matériau tout indiqué pour la fabrication de poignards, de lames, de pointes de javelots et de flèches, et d'aiguilles.

LE JAIS NOIR

Le jais noir, à l'éclat cireux et velouté, possède les mêmes propriétés que l'onyx noir.

Cette pierre est associée au deuil et elle contient certaines énergies négatives du passé, comme c'est le cas également pour le corail noir auquel on avait recours lors de cérémonies de magie noire. Les couteaux utilisés pour les sacrifices rituels de Stonehenge étaient taillés dans du jais noir.

Signalons qu'en Irlande, où la mer est tempêtueuse et dangereuse, les femmes de pêcheurs font brûler de petits morceaux de jais noir pendant qu'elles prient pour le retour de leurs époux.

Avant que les dentistes n'existent, la poudre de jais noir était appliquée autour d'une dent douloureuse pour soulager le patient. Elle servait aussi à calmer les maux d'estomac et les migraines.

Le jais noir est recherché par les sculpteurs et par les joailliers. En fait, cette pierre est un charbon bitumeux très ancien, qui a subi d'énormes pressions à l'intérieur de la Terre.

GUÉRIR AVEC DES PIERRES

LA NATURE DU MAL

Il est indispensable de préciser tout d'abord que la maladie résulte principalement d'un conflit, d'une dissonance entre le « moi » intérieur, qui est l'identité de l'âme, et l'ego, qui est la personnalité du « moi » physique. C'est dans les raisons de ce conflit que se cache l'origine réelle de l'affection. Il y a un mobile du mal comme il y a un mobile du crime.

Dans nos vies antérieures comme dans notre vie actuelle, chacune de nos actions a provoqué une réaction qui, à son tour, a créé une autre action, responsable d'une autre réaction, etc. Pour savoir ce qui a *réellement* déclenché la maladie, il faut donc remonter au point de départ de cette réaction en chaîne et connaître tous les éléments qui la composent.

La peur, la complaisance et la compassion à l'égard de soi-même, le mensonge et la lâcheté sont autant de faux alibis qui empêchent de remonter à la source du mal dont nous souffrons. Pourtant, la guérison n'est pas possible si nous ne trouvons pas et si nous ne comprenons pas la cause fondamentale de notre maladie.

Mais où se trouve l'information que nous cherchons ? Dans notre subconscient ! Celui-ci est cependant si vieux, si profondément enraciné dans notre être et si primaire qu'il est difficile de forcer sa porte. Mais c'est bien lui qui détient tous nos secrets : toutes nos archives émotives et intellectuelles se trouvent dans sa mémoire. Si nous étions en mesure d'aller consulter le « livre d'images » de nos actions passées, nous connaîtrions rapidement l'origine de nos maux.

En fait, lorsque nous sommes malades, nous nous contentons de traiter les symptômes, sans nous préoccuper du mobile qui les provoque. Pour avoir des chances de parvenir à une vraie guérison, il faut donc changer notre attitude mentale. Nous devons avoir le courage d'aller fouiller dans notre subconscient, c'est-à-dire d'apprendre à nous connaître tels que nous sommes, et cesser, une fois pour toutes, de tricher avec notre propre nature. Finalement, l'esprit a encore davantage besoin de soins que le corps.

Prenons pleinement conscience que l'« inter-relation » universelle est une vérité vivante et que nous devons admettre que nous faisons partie d'un tout.

LA SANTÉ EST HARMONIE

Je vais maintenant m'efforcer de mettre l'accent sur le rôle joué par les cristaux et les pierres dans la guérison. D'où leur pouvoir est-il tiré ? De la Terre et du cosmos. Leur beauté est le résultat de leur perfection. Or, qui dit beauté dit harmonie et équilibre. La maladie étant un déséquilibre, la beauté se trouve donc être le remède idéal.

Le corps et l'âme doivent être nettoyés en profondeur, purifiés et, bien que cette opération s'avère par moments extrêmement douloureuse, il faut passer par là. Tous deux sont en perpétuelle évolution et l'âme, en particulier, a besoin, au cours de son processus de croissance et de développement, de cette harmonisation d'elle-même avec le cosmos. Alors, comme c'est par exemple le cas pour une voiture, il faut de temps à autre corriger l'alignement des roues. Les cristaux et les pierres font œuvre de catalyseurs et donnent l'impulsion qui conduit à la purification.

Le Nouvel Age doit apporter un changement de conscience fondamental. D'une période d'isolement dominée par des pensées de ruptures, nous passons à une période de réconciliation, de communion et d'unité. L'isolement a été la cause de grands conflits et de profondes souffrances. Faisons confiance à l'unité des choses ! Retourner à la Source, c'est en comprendre la signification.

La Terre a une compassion sans limites pour nous et, en plus, guérision de chacun d'entre nous. C'est une condition irréfutable. Aussi, ayons le courage de nous chercher dans la nature même de la vie, de comprendre ses mystères qui sont également les nôtres ! Descendons en nous-mêmes à la rencontre de notre âme et entrons dans notre cœur pour « voir » ce qui s'y passe, combattre et extirper le mal qui s'y trouve. C'est notre propre maladie qui finit par tuer la planète petit à petit.

La Terre a une compassion sans limites pour nous et, en plus, elle met à notre disposition tous les outils nécessaires à notre guérison. Il faut avoir confiance en elle et dans les capacités de ses créations que sont les cristaux et les pierres, car l'on est alors en mesure de vivre une expérience fabuleuse : celle de leurs pouvoirs magiques.

RESPIRER EN COULEURS

Respirer à fond et en rythme est d'une importance primordiale. Comme le Soleil, l'air est une nourriture énergétique capitale. Non seulement la respiration profonde nous nourrit, mais elle nous accorde de surcroît avec les forces de la nature.

Respirer en couleurs est une technique qui tonifie notre esprit et notre système nerveux. Visualisez les sept rayons lumineux et pratiquez douze respirations pour chacune de leurs couleurs. Souvenez-vous que les trois premiers rayons (rouge, orange et jaune) sont magnétiques et qu'il faut se les représenter s'élevant de la Terre vers le plexus solaire. Les trois derniers rayons (bleu, indigo et violet) sont électriques et doivent être visualisés descendant du Ciel vers votre tête. Quant au rayon vert, le balancier du spectre, il doit être « vu » venant de l'horizon vers vous.

On dit que nous vivons actuellement sous l'influence du quatrième rayon, donc le rayon vert qui se trouve au milieu, entre les premiers degrés de la croissance de l'âme et l'éveil spirituel que l'on atteint en gravissant les dernières marches. Le rayon vert est aussi celui du cœur, ce qui signifie que c'est par le cœur que s'obtient l'équilibre entre notre nature physique et notre nature spirituelle. Le moment est venu pour nous d'ouvrir tout grand notre cœur, de pratiquer la « respiration du cœur » pour nous imprégner de la signification de l'amour universel et le ressentir.

MÉDITER EN COULEURS

Installez-vous dans un endroit bien tranquille et placez, en face de vous, une pierre de la couleur dont vous avez besoin à ce moment-là. Plongez totalement dans cette couleur et laissez vous entièrement absorber par le rayon lumineux.

Si vous êtes réceptif, c'est-à-dire si vous êtes parvenu à faire le vide dans votre cerveau, les vibrations des pierres peuvent déclencher en vous un réveil spirituel. L'affirmation mentale est importante. Les pensées sont créatrices de vie.

Un résultat négatif provient toujours d'une pensée négative. Vous devez être plein de bonnes intentions et l'affirmer. Vous pouvez vous établir une liste de la corrélation entre les chakras et les couleurs, liste que vous fixez à un mur pour plus de commodité :

1er chakra = rouge	2e chakra = orange	3e chakra = jaune
	4e chakra = vert	
5e chakra = bleu	6e chakra = indigo	7e chakra = violet

Méditation harmonique et curative

1. Santé, vitalité, énergie	Utilisez les rayons lumineux suivants : rouge rosé et orange
2. Convalescence (Pensez : tranquillité, gaieté, santé et paix)	Utilisez les rayons lumineux suivants : vert, bleu, violet
3. Dépression, solitude, frustration (le jaune est l'une des forces les plus puissantes pour lutter contre la dépression et les « limitations » de tous genres)	Utilisez les 7 rayons lumineux et en particulier le rayon jaune
4. Prospérité, succès, progrès (le vert vous apporte ce que vous souhaitez ; il enrichit la personnalité, élève votre taux vibratoire et, par là, vos chances de succès)	Utilisez le rayon lumineux vert
5. Développement mental, pouvoir mental (le rayon doré émane du centre de la sagesse et donne une efficacité mentale plus grande ainsi que l'illumination)	Utilisez le rayon lumineux doré

6. Protection, énergie cosmique,	Utilisez la Grande Lumière Blanche
7. Compréhension des rêves (le noir calme la nervosité qui empêche la concentration)	Utilisez le rayon lumineux noir

LA POSE DES PIERRES SUR LE CORPS

Il existe plusieurs manières d'appliquer des traitements à l'aide de pierres :

1. Posez uniquement des cristaux de roche sur tous les chakras. Cette méthode équilibre, harmonise et revivifie les énergies. Le cristal de roche absorbe vos courants négatifs et les chasse hors de votre corps et de la pièce où vous vous trouvez. Il aide à équilibrer votre aura en décongestionnant les sept centres de forces (chakras) des énergies vitales qui y sont bloquées ou s'y sont accumulées.

Vous pouvez également vous reporter à la page 56 où j'explique comment se masser avec un cristal de roche.

2. Posez uniquement des pierres vertes sur tous les chakras afin d'alimenter votre être tout entier en énergie nouvelle et de l'harmoniser. La malachite est une pierre particulièrement apte à cela.

3. Posez différentes pierres sur les chakras qui leur correspondent (voir page 30 et suivantes). Elles agissent à la manière de catalyseurs, captant et transmettant la Lumière. En dehors de la malachite, du lapis-lazuli et du jaspe dont l'action est remarquable « malgré » leur opacité, on peut affirmer d'une façon générale que plus la pierre est lumineuse ou contient de feu, plus son pouvoir curatif est grand. Je donne des explications plus détaillées sur ce mode de traitement à la page 138.

AUTRES MÉTHODES D'UTILISATION DES PIERRES

Effet tactile (touchstones)

Il y a des siècles et des siècles, les anciens, les adeptes et les mages étaient capables de guérir les êtres humains de leurs diverses maladies physiques et mentales. Ils étaient en mesure, aussi, de ramener la paix dans les maisons des hommes.

Que ce soit en Chine, au Tibet ou dans les temples sacrés de l'Inde, ou encore dans les grands temples incas, aztèques et mayas, partout les prêtres façonnaient soigneusement et laborieusement des pierres à la main. On raconte que ces pierres, lorsqu'on les tenait dans la paume, emplissaient le cerveau humain de réconfort tellement leur forme était agréable au toucher. Tout l'organisme s'en trouvait bénéfiquement influencé. Dans bien des cultures, les grains de chapelet servent le même but.

Les pierres « à toucher » ne font pas que nous calmer. Elles nous donnent de l'assurance en nous touchant... au cœur ! La pierre est notre miroir. Regardons-nous en elle sans tricher.

Poudre

Des pierres réduites en poudre entraient dans la composition d'anciens remèdes afin de soulager des maladies bien précises.

L'ambre en est un exemple : sa poudre était mélangée à de la farine à laquelle on ajoutait du miel et de l'eau. L'absorption de la bouillie ainsi obtenue était indiquée dans le traitement d'affections des reins, du foie et en cas de constipation.

Quant à la pâte de malachite, elle était utilisée pour traiter la cataracte.

Il existe en outre des elixirs, des teintures et des préparations homéopathiques à base de quantité de pierres telles que, par exemple, le lapis-lazuli, la turquoise et autres.

Eau magnétisée

Certaines pierres comme l'émeraude, le rubis, le diamant et le cristal de roche peuvent être utilisées pour la préparation facile de médicaments liquides.

Voilà comment procéder : mettre la pierre choisie dans un verre rempli d'eau et la laisser tremper plusieurs heures ou bien toute la nuit. Pendant ce temps, l'eau se charge de l'énergie de la pierre. Pour accroître encore la valeur énergétique de la potion, vous pouvez placer le verre au soleil à la seule condition que ce soit dans un endroit non contaminé par la pollution. Comme c'est le cas lorsqu'il s'agit de produits à base de plantes, là aussi c'est l'essence même de la pierre que vous boirez et qui agira directement sur votre corps éthérique d'une manière très bénéfique.

a) Santé et énergie : eau d'émeraude (pour d'autres informations, voir p. 98).

b) Purification et remontant cardiaque, douleurs intestinales : eau de rubis.

c) Guérison dans son ensemble, protection, réveil spirituel : eau de diamant ou eau de cristal de roche.

Energie solaire

Les propriétés de l'énergie solaire, dispensatrice de vie, entrent aussi en ligne de compte lorsqu'il s'agit de rétablir une santé déficiente.

Les Egyptiens utilisaient des bols incrustés de pierres d'une couleur déterminée. Ils les remplissaient de jus de fruits ou de légumes dont la couleur correspondait à celle des pierres décorant le récipient et les exposaient au soleil pour que leur contenu se charge de l'énergie de Ra.

Parfois, les coupes étaient taillées dans la pierre même : agate, lapis-lazuli, malachite, jaspe.

Rien ne nous empêche de faire la même chose aujourd'hui du moment que nous savons que les pierres ont besoin de soleil pour se recharger (voir p. 48, dans le paragraphe consacré au nettoyage d'une pierre).

LA RELATION THÉRAPEUTE-PATIENT-PIERRES

Il est indéniable qu'il existe un lien entre le thérapeute, le patient et les pierres. Le dénominateur commun entre les trois est la guérison.

Tant que les barrières ne sont pas levées entre la personnalité du thérapeute et celle du patient, rien ne peut se passer. Mais une fois le contact réel établi, le malade est apte à recevoir et le thérapeute en mesure de donner. Ce qu'il faut, c'est parvenir, grâce à une coopération empreinte de confiance, à une association harmonieuse. Plus l'on est ouvert et réceptif, plus les résultats sont positifs et rapides.

Les réactions dont j'ai été témoin m'ont permis d'accorder une confiance absolue aux pierres et aux cristaux. C'est à travers la foi que j'ai en eux que je suis capable de transmettre leurs pouvoirs.

Nous sommes incapables d'illuminer notre vie et voilà pourquoi nous souffrons. Or, la mission des pierres et des cristaux est de soulager la douleur grâce à la puissance de la Lumière.

Quel spectacle magique que de voir les pierres illuminer le corps du patient tels de petits soleils colorés et d'assister à la distribution de l'énergie de la Lumière dans ce même corps, qui anxieux et appauvri quelques instants auparavant, se détend peu à peu et se met à vibrer... sans recourir à aucune drogue !

COMMENT PROCÉDER A UN TRAITEMENT AVEC LES PIERRES

Nous commençons tout d'abord, le patient et moi, par faire une méditation basée sur le souffle : respiration rythmée et visualisuation des couleurs (voir p. 131).

Je parle ensuite de nos rapports avec notre mère, la Terre, et demande au patient de faire le vide en lui et de se mettre en état de réceptivité. Je procède alors à un massage léger, calmant et doux, en particulier dans la région du cœur, afin de relaxer son corps. Ne perdons pas de vue que les mains sont les prolongations du cœur qui, lui-même, est une source d'énergie magnétique curative et le conduit naturel toujours prêt à laisser passer la Lumière.

Puis, à l'aide de mon pendule de cristal, je contrôle s'il y a d'éventuels blocages ou encombrements d'énergie dans les chakras. Je peux aussi passer ma main sur chacun de ces centres vitaux pour me rendre compte de la chaleur qu'ils dégagent. Remarquez que le patient a, lui aussi, la possibilité de recourir personnellement au pendule pour déterminer lesquels de ses chakras ont des problèmes.

Le moment est venu, maintenant, de choisir les pierres adéquates. J'opère cette sélection intuitivement, mais évidemment toujours dans la gamme de pierres qui correspondent avec le ou les chakras en cause. Après avoir lavé et séché les pierres, je les pose sur le corps du patient en commençant par le premier chakra. J'en concentre davantage sur les centres vitaux qui en ont besoin et je termine en en disposant sur le visage et sur le Troisième œil. En effet, nous avons généralement beaucoup de tensions dans les joues, les mâchoires et le front.

Je tiens à souligner qu'il est important de bien laver les pierres avant et après leur utilisation car, vu leur extrême sensibilité, il convient de les débarrasser des vibrations qu'elles ont pu capter ailleurs. Je recommande à mes patients de prendre si possible un bain avant le traitement ou, tout au moins, de se laver sans faute les mains. Je fais la même chose de mon côté.

Les pierres restent environ 20 à 30 minutes sur le corps, la durée d'application dépendant de la réaction propre au patient. Je reste à ses côtés — il est important de ne jamais le laisser seul — et j'observe attentivement comment son corps réagit. Il arrive qu'une pierre tombe toute seule ; cela signifie qu'elle a terminé son travail et qu'il n'y a plus besoin de la remettre à sa place.

Exemples de cas concrets

C'est avec un étonnement toujours renouvelé que j'assiste aux réactions tellement variées qui se manifestent au cours du traitement par les pierres. J'aimerais vous faire part de quelques-unes d'entre elles.

Certaines personnes s'endorment profondément. A leur réveil, elles ne se souviennent de rien mais se sentent très détendues. Cela signifie qu'elles étaient nerveuses et « en déséquilibre » au moment de la séance et que les pierres les ont endormies pour pouvoir travailler sans interférence de leur part.

Voici l'expérience vécue par un patient, sur le Troisième œil duquel j'avais placé un cristal de roche : « Au début, je le sentais froid et lourd et, comme je me détendais, il devint plus chaud. Malgré mes yeux fermés, je pus le voir très distinctement. Il paraissait être empli de Lumière. Ensuite, des rayons de Lumière pareils aux couleurs de l'arc-en-ciel se sont mis à jaillir du centre du cristal et je me suis senti submergé de joie ».

Une femme a eu une vision dans laquelle elle se trouvait comme pleine de Lumière bleue. Une image s'est ensuite précisée qui représentait une volée d'oiseaux sortant de son Troisième œil pour disparaître dans le ciel.

Un homme a ressenti le cristal de roche comme une grande spirale de Lumière blanche tournoyant à l'intérieur de son corps, le remplissant totalement et l'abandonnant ensuite en passant par le Troisième œil.

Voici la vision d'une autre femme : elle rencontra trois moines qui lui demandèrent de les accompagner dans une vallée. Là, ils lui montrèrent des figures dans le sable dont les symboles revêtirent, par la suite, une grande importance dans sa vie.

Une autre femme revint à l'époque où son père mourut et le vit dans son cercueil. Elle vécut la peur de la mort. Puis elle vit l'entrée d'une grotte très sombre. Malgré l'obscurité qui y régnait, elle décida d'y pénétrer tout de même. A l'intérieur se trouvait un cristal de roche immense. Elle le gravit et se coucha dessus. Elle s'y sentit extrêmement bien et en sécurité. Puis elle vit un feu brûler dans un fourneau et, en dernier, une chambre dont les murs voulaient se refermer sur elle. Elle se mit toutefois à leur parler et les pria de lui faire place.

Un homme vit une image de lui-même : sa main droite était ouverte mais son poing gauche était fortement serré. Il réalisa alors clairement qu'il s'agissait de son côté émotionnel et réceptif qui ne demandait qu'à s'ouvrir.

Un autre homme a vécu une expérience similaire. Au cours de celle-ci, il se sentit avec un côté droit très grand et un côté gauche, en revanche, très petit. Cela signifie que cet homme, tout comme le précédent, avait besoin de ce que l'un des côtés de sa nature soit en harmonie avec l'autre, à savoir qu'il devait équilibrer ses « moi » extérieur et intérieur.

Une femme ressentit de fortes crispations cardiaques, qui se propagèrent jusqu'à sa gorge. Lorsque les douleurs la quittèrent et qu'elle n'y fit donc plus attention, elle eut le sentiment de s'enfoncer profondément dans la Terre et s'y trouva comme dans le ventre de sa mère : au chaud, protégée et aimée. Cette patiente était encore jeune lorsqu'elle avait perdu sa mère et cette expérience lui fit prendre conscience, pour la première fois, que la Terre était sa mère universelle.

L'expérience d'un homme, sur tous les chakras duquel j'avais placé des cristaux, m'a émue au plus haut point. Ce monsieur était venu me voir sur le conseil d'amis, n'avait jamais appris à s'ouvrir et semblait blindé — si vous me permettez l'expression — dans toutes les règles de l'art. Pourtant, c'est sans réticence qu'il raconta ce qu'il avait vécu au groupe après le traitement : « Je vis ma tête comme un bloc de glace. Ensuite, je vis cette glace fondre très lentement à partir du point où était posée la pierre. » En racontant cela, cet homme avait les yeux pleins de larmes et j'ai compris qu'une porte venait de s'ouvrir dans sa vie.

Une femme s'est « vue » à l'intérieur d'une pyramide, entourée de bandelettes comme une momie. Elle se croyait morte et savait pourtant que ce n'était pas le cas. Son bras gauche était enseveli sous de lourdes pierres et lui faisait mal. C'est alors qu'elle entendit une voix lui dire : « Tout ce que tu as à faire est de retirer ton bras ». Elle eut soif et demanda de l'eau. Puis la scène changea et elle se vit elle-même sous l'eau, ayant de la peine à respirer. Ensuite, elle se revit enveloppée comme une momie, mais cette fois elle avait suffisamment de place pour bouger ses mains. Elle ressentit tout de même une grande pesanteur en elle.

Voici la relation d'une autre réaction, dramatique celle-là. J'avais placé plusieurs pierres sur le corps d'une femme lorsque celle-ci devint très agitée. Elle tremblait et on avait l'impression que les pierres essayaient de ramener à la surface d'anciennes émotions très fortes. Les mains de la patiente commencèrent à effectuer des gestes très saccadés, rudes, comme les mouvements rapides qui caractérisent les arts martiaux. Puis cette femme se mit à parler dans une langue inconnue, qui « sonnait » comme une langue très ancienne. Elle se « vit » dans une vie précédente, vêtue comme un guerrier oriental, chassée de son village natal après avoir été vaincue dans un combat singulier. Elle se sentit déshonorée et condamnée, à tout jamais, à errer, sans patrie. Grâce à cette fantastique expérience, nous lui avions fait faire une régression et été en mesure de découvrir la cause des grandes souffrances qu'elle avait endurées au cours de nombreuses incarnations.

Comme j'enlevais les pierres que j'avais posées sur le cœur d'un patient, celui-ci sentit la Lumière le quitter. Il « vit » son cœur comme une grosse pierre noire. A l'instant même, il réalisa que la « noirceur » de son cœur était la cause de tous les problèmes qu'il avait avec son père.

A l'issue d'un traitement, une femme me regarda, dans l'extase, et me dit : « Vous êtes aussi une pierre. J'aime les pierres. Je sens que ma mère, la Terre, me tient dans ses bras et me protège. Maintenant je peux me détendre car je sais que la Terre est ma maison ».

Une autre femme trouva, tout d'abord, que les pierres étaient glacées. Puis, alors qu'elle commençait à se détendre, elle vit une lumière qui montait comme un courant chaud de ses pieds pour se propager à l'intérieur de ses jambes. Cette lumière avait la couleur de la terre battue, un brun chaleureux, et continuait son ascension pour pénétrer dans le plexus solaire. La patiente entendit alors une voix qui lui parut sortir d'une grosse pierre brune se trouvant entre ses pieds. Elle pensa rêver — les pierres sont incapables de parler, voyons ! — mais elle entendit nettement la pierre lui déclarer : « Je suis ton amie et ton alliée. Je te guiderai et te donnerai de l'amour. » Cette femme eut alors l'impression que son plexus solaire allait exploser. Un chemin lumineux se creusa en elle, reliant son plexus solaire à son cœur. A ce moment-là, elle distingua un rideau de velours bleu foncé derrière la pierre qui, à son sommet, portait un cristal. La patiente en pleura de joie, sachant que la Terre était son amie. Plus tard, elle éprouva une grande attirance pour une cornaline qui, dès lors, est devenue « sa » pierre.

Je vais vous narrer maintenant la vision d'une autre de mes clientes. Sur une colline se trouvait un palais de cristal mais, pour s'en approcher, la femme devait traverser une forêt très épaisse. Au moment où elle l'atteignait, le palais s'illumina, comme si elle était attendue. Puis, elle se vit dans l'eau, où elle pouvait se laisser flotter.

***

Toutes les visions et les sensations que nous éprouvons servent à débusquer les blocages et les conflits que nous portons en nous. En fait, ces visions sont des rêves éveillés dont les enseignements sont aussi précieux, sinon davantage, que ceux tirés des rêves que nous faisons pendant notre sommeil.

Il est important de souligner que les pierres et les cristaux « travaillent » instantanément, c'est-à-dire au moment où l'application a lieu. Les expériences des patients changent donc d'une séance à l'autre. Elles atteignent parfois des niveaux de conscience très profonds.

L'objectif de ces traitements est d'amener « à la surface », c'est-à-dire au niveau conscient, les informations enfouies dans notre subconscient. Les sentiments et les émotions existent. Il faut les prendre comme ils viennent et ne pas en avoir peur.

En général, les gens pensent trop et ne « sentent » pas assez. Ce que nous cachons ou que nous ne voulons pas « voir » intérieurement, par crainte ou par lâcheté, est justement ce qui nous permettrait de vivre en paix avec nous-mêmes. Ce que nous ignorons délibérément de nous-mêmes est ce qui nous empêche d'aimer et ceci est le plus grave. Il est indispensable de vivre dans la vérité, ici et maintenant.

N'oublions pas que la peur, la colère, la haine, la jalousie et toutes les pensées négatives déclenchent une réaction en chaîne qui n'est rien d'autre que la mise en mouvement de la loi du karma. Les personnes que nous avons été dans nos vies antérieures continuent de hanter notre vie actuelle. Tout ce qui n'a pas été payé doit l'être, tôt ou tard.

Mon rôle consiste à guider, à calmer et à conseiller mes patients. Dès le premier traitement, ils se sentent plus réceptifs, plus ouverts, plus « accordés » avec eux-mêmes et avec l'Univers. Je collabore en quelque sorte avec les cristaux et les pierres pour qu'ils puissent effectuer leur mission : rétablir le lien entre les êtres humains et la Terre, faire comprendre aux hommes et aux femmes et leur faire accepter qu'ils ont tous un programme à accomplir sur la merveilleuse planète qu'est la nôtre.

Les pierres nous enseignent que la beauté, l'amour, la miséricorde et l'harmonie sont enfants de la Lumière, créés pour être les serviteurs de la vérité. Nous aussi sommes les enfants de la Lumière. Soyons comme les étoiles : demandons à l'Amour de nous donner la vie.

De la tradition des bouddhistes tibétains
nous vient ce mantra sacré :

Om mani padme hum
(le joyau dans le lotus)

Soyons tous des pierres précieuses
au cœur de la fleur de lotus !

Prière

Ô Terre, ma mère
Plein de gratitude est mon cœur
Pour l'abondance, la beauté et l'amour
Que tu m'offres à chaque jour.
Je n'ai que moi
A t'offrir en échange.
Fais que je devienne à mon tour
Abondant, beau et aimant
Afin qu'en me donnant à toi
Je serve à tous.

OM

TABLEAU RÉCAPITULATIF DES PIERRES ET DE LEURS EFFETS BÉNÉFIQUES

Pierres et cristaux	Chakras correspondants	Effets thérapeutiques sur le plan physique	Effets sur le plan spirituel
Cristal de roche		Équilibre et harmonise l'aura et le corps. Débloque et décongestionne les centres vitaux (chakras). Favorise la libre circulation de l'énergie vitale. Aide les personnes sujettes aux étourdissements, à la diarrhée et aux hémorragies	Aide notre perception intérieure et notre intuition à développer notre nature lumineuse.
Diamant		Protège contre les vibrations et les pensées négatives. Agit efficacement contre les empoisonnements.	Est le symbole le plus élevé de la Lumière blanche. Aide à nous transformer intérieurement et à faire l'unité en soi.
Rubis	1er chakra	Stimule et intensifie les forces vitales du corps grâce à une meilleure circulation du sang. Prévient les fausses-couches.	Développe l'altruisme et la miséricorde envers tous les êtres vivants.
	1er chakra	Influence la température du corps en le réchauffant. Agit efficacement dans les cas d'anémie, de malnutrition et de léthargie. Soulage pendant les menstruations. Recommandé contre les coliques.	Nous enseigne la forme et la flexibilité.
Grenat	1er chakra	Stimule la fonction sexuelle. Aide à surmonter les maladies des organes génitaux. Agit efficacement dans les cas de dépression, de rhumatismes et d'arthrite.	Élève l'esprit au-dessus de la passion pour atteindre la pureté du cœur.
Jaspe rouge	1er chakra	Procure les énergies protectrices de la Terre. Agit efficacement dans les cas de maladies gastriques, hépatiques, et d'infections.	Nous fait bénéficier de la force de la Terre.

Pierres et cristaux	Chakras correspondants	Effets thérapeutiques sur le plan physique	Effets sur le plan spirituel
Pierre de sang	1er chakra	Stimule et fortifie l'être dans son ensemble. Agit efficacement dans les cas de troubles de la vésicule biliaire.	
Cornaline	2e chakra	Donne de la stabilité, une sorte d'« ancrage ». Influence et régularise l'ingestion et l'assimilation des aliments. Agit efficacement dans les cas de rhumatismes, de blessures et d'empoisonnements du sang.	Nous donne une sensation de bien-être, le sentiment d'appartenir à la Terre, celui de l'entrée de la force en nous-mêmes.
Opale de feu	2e chakra	Dissout toutes les formes de cristallisation dans le corps. Aide à améliorer le fonctionnement du système digestif.	Permet de nous rapprocher de notre « moi » intérieur et de redécouvrir nos émotions.
Topaze dorée	3e chakra	Fortifie le cœur. Équilibre le système nerveux et le plexus solaire. Agit de façon bienfaisante sur la colonne vertébrale. Favorise l'assimilation physique et mentale. Combat le froid. Rétablit le sens du goût (saveur).	Inspire et stimule notre « moi » intérieur et notre âme. Aide à projeter notre « moi » intérieur d'une manière plus consciente et plus radiante. Aide notre âme dans sa détermination à atteindre l'illumination.
Ambre	3e chakra	Nettoie et purifie tout l'organisme. Stimule le fonctionnement des systèmes digestif et endocrinien. Dispense de la chaleur. Agit de façon bienfaisante sur le plexus solaire et le foie. Agit efficacement dans les cas d'asthme et contre les maladies infectieuses.	Force. Sagesse. Paix.

Pierres et cristaux	Chakras correspondants	Effets thérapeutiques sur le plan physique	Effets sur le plan spirituel
Citrine	3e chakra	*Tons pâles :* contribuent au nettoyage et à la purification des glandes endocrines. *Tons foncés :* suppriment la peur qui bloque le plexus solaire. Soigne le diabète. Purifie la peau. Combat énergiquement la dépression.	Stimule notre conscience cosmique. Aide notre âme à découvrir la compréhension et la compassion. *Les effets varient selon les différentes nuances de couleurs.*
Tourmaline (en général)	4e chakra	Aide le système nerveux d'une manière insurpassable. Équilibre l'organisme au complet et à tous les niveaux.	*Les effets varient selon les différentes teintes de tourmaline.*
Rubellite (tourmaline rose)	4e chakra	Équilibre le cœur subtilement. Améliore la perspicacité et la perception.	Nous apprend à nous laisser guider par le cœur. Renforce notre volonté d'aimer et d'abnégation de soi. Ouvre le cœur au « moi ». Pousse au dévouement.
Tourmaline « melon d'eau »	4e chakra	Équilibre la polarité. Exerce une influence harmonisante et curative sur le cœur et le système nerveux. Aide à modifier la structure cellulaire. Aide à prévenir le cancer grâce à ses vibrations continues équilibrantes dont l'influence empêche la croissance de cellules anarchiques. Protège efficacement la personne qui la porte.	Nous apprend à nous contenir, à nous intégrer, à nous sécuriser, à nous ouvrir, à être plus tolérants.
Rhodochrosite	4e chakra	Permet l'intégration des trois aspects : physique, mental et émotionnel. S'avère un excellent conducteur d'énergie. Réchauffe et apaise le cœur Est très bénéfique à ceux qui la portent.	Accroît le pouvoir créateur de la pensée.

Pierres et cristaux	Chakras correspondants	Effets thérapeutiques sur le plan physique	Effet sur le plan spirituel
Émeraude	4e chakra	Aide au développement d'un corps harmonieux. Régénère et renouvelle les cellules. A une action équilibrante et guérissante. Octroie paix et harmonie au corps et au cœur. Normalise la pression du sang. Agit efficacement contre les infections des yeux.	Nouvelle naissance. Permet d'acquérir richesse, abondance et sécurité intérieures. Donne les moyens de comprendre les mystères du Ciel et de la Terre. Contrôle de soi et maturité.
Malachite	4e chakra	Soigne et équilibre l'organisme au complet. Favorise le bon fonctionnement du pancréas et de la rate. Agit efficacement dans les cas d'infection des yeux, d'asthme, de menstruations irrégulières, de rhumatismes et d'empoisonnements.	Nous enseigne que le processus de la création est le moyen de comprendre l'Esprit. Nous révèle notre peur profonde du changement et du mécanisme de l'évolution.
Jade	4e chakra	Calme et apaise. Équilibre et soigne tout. S'avère d'une aide précieuse lors d'accouchements. Agit efficacement dans les cas de grippe, de névralgie et de migraine.	Inspire l'humilité, la sagesse, la justice et le courage. Élève notre niveau de conscience.
Tourmaline verte	4e chakra	Apaise l'esprit par la voie du système nerveux. Est capable de régénérer et de rajeunir le corps tout entier. Agit efficacement dans les cas d'inflammation, de grippe, de cancer et de problèmes cardiaques. Normalise la pression du sang.	Fortifie notre volonté d'atteindre la sagesse et de régler nos conflits intérieurs. Fait tomber nos vieux concepts et « réaligne » notre corps mental sur un nouveau niveau de conscience.
Tourmaline vert incolore	4e chakra	Calme et équilibre le cerveau et le fluide nerveux. Est capable de soulager en cas d'inflammation, de mal de tête et de crise d'épilepsie.	

Pierres et cristaux	Chakras correspondants	Effets thérapeutiques sur le plan physique	Effet sur le plan spirituel
Chrysoprase	4e chakra	A un effet sédatif et tranquillisant, comme le jade. Équilibre les comportements neurotiques. Agit efficacement dans les cas de saignement, d'hémorragie, de problèmes cardiaques. S'avère d'une aide précieuse lors d'accouchements. Agit de façon bénéfique sur les glandes.	Clarifie nos problèmes en amenant les pensées subconscientes au niveau du conscient. Favorise le renforcement de notre vision intérieure en amenant nos pensées conscientes au niveau du supraconscient.
Péridot	4e chakra	Calme, équilibre et purifie le corps. Aide la digestion. Combat la constipation et les inflammations des intestins. Atténue la mélancolie.	Aide à développer nos facultés mentales. Équilibre et tranquillise nos émotions. Ouvre notre vision intérieure au Soleil spirituel.
Aigue-marine	4e et 5e chakras	Équilibre et stabilise les trois aspects : physique, mental et émotionnel. Décongestionne la gorge. Agit efficacement dans les cas de douleurs d'origine nerveuse, de désordres glandulaires, de douleurs dans la nuque et dans les mâchoires, de maux de dents et de gorge. Puissant filtre naturel.	Octroie pureté et innocence, netteté et sensibilité de l'esprit.
Turquoise	4e et 5e chakras	Possède de grands pouvoirs curatifs grâce à sa haute teneur en cuivre. Agit efficacement dans les cas de problèmes cardiaques, pulmonaires et respiratoires, de douleurs dans la nuque. S'avère excellente pour la vue et les yeux.	Enseigne l'infinité de la mer et du Ciel, l'infiniment pur et l'infiniment saint.
Chrysocolle	4e et 5e chakras	Équilibre et apaise le cœur et les émotions en supprimant l'angoisse. Aide à prévenir les ulcères et les affections des voies digestives.	Produit les mêmes effets que la turquoise mais à un niveau supérieur. Augmente l'équilibre entre le corps physique et le corps spirituel.

Pierres et cristaux	Chakras correspondants	Effets thérapeutiques sur le plan physique	Effets sur le plan spirituel
Saphir bleu	5e chakra	Possède un grand pouvoir curatif sur le centre vital de la gorge. Soulage les douleurs causées par les refroidissements et fait baisser la fièvre. Agit efficacement dans les cas de pression du sang insuffisante, de nervosité et d'insomnie.	Est capable d'élever notre âme jusqu'au royaume du Très Haut. Invite à la dévotion et à la méditation
Lapis-lazuli	5e chakra	Décongestionne toute la région de la gorge. Agit efficacement dans les cas d'enflure, de piqûre, d'inflammation, d'éruptions, de fièvre, de pression du sang insuffisante et de menstruations douloureuses. Combat la dépression et les maux de tête d'origine nerveuse.	Inspire à notre âme un grand élan de coopération et de communion. Pousse notre « moi » à prendre conscience de sa nature immortelle.
Topaze bleue	5e chakra	Adoucit, rafraîchit et calme la région de la gorge et le système nerveux. Possède une grande force électrique et magnétique. Agit efficacement contre les maux de tête d'origine nerveuse et contre les palpitations.	Intensifie l'énergie créatrice et l'inspiration chez les artistes.
Saphir indigo	6e chakra	Agit très efficacement dans les cas de troubles mentaux, de delirium tremens, de mélancolie, de déficience mentale et d'insomnie. Soigne et fortifie les organes des sens (goût, odorat, ouïe, toucher et vue).	Aide à développer notre intuition et nos facultés extra-sensorielles (clairvoyance) afin que nous soyons aptes à voir la vérité et atteindre la sagesse.
Azurite	6e chakra	Agit très efficacement sur le développement humain. Redonne de la vitalité aux organes lésés et mutilés.	Favorise la vision intérieure, la perception de la Grande vérité et de la Conscience cosmique en nous faisant le don de la présence et du sens du devoir.

Pierres et cristaux	Chakras correspondants	Effets thérapeutiques sur le plan physique	Effets sur le plan spirituel
Améthyste	7e chakra	Agit avec une efficacité particulièrement grande contre les douleurs de toutes formes grâce à la densité de ses vibrations. Chasse la colère, la fureur, la peur et l'anxiété. Aide à résoudre les problèmes d'ordre psychologique, à soulager les maux de tête, les migraines et les insomnies. Rend des services appréciables pour lutter contre les impuretés du sang et les maladies vénériennes, le daltonisme et l'alcoolisme. Équilibre et stabilise la polarité sexuelle.	Transmutation. Invite à la méditation et à l'altruisme. Encourage le sacrifice de soi au profit de l'humanité. Unité cosmique.
Fluorite	7e chakra	Dans les *teintes violettes,* agit comme l'améthyste. Dans les *teintes vertes,* rend l'être humain capable de se servir de fortes vibrations. Calme le système nerveux.	Pousse au dévouement. Montre le chemin des vérités et de la sagesse cosmiques.
Pierre de lune		Aide très précieuse pour calmer les réactions émotives excessives. Stimule la glande pinéale pour favoriser le processus de la croissance. A un effet bénéfique sur l'équilibre endocrinien chez les femmes. Décongestionne et nettoie l'appareil circulatoire lymphatique.	Accorde la croissance et la force intérieures. Contribue à nous faire prendre conscience de notre côté féminin et émotif pour nous permettre d'unifier notre dualité.
Opale		Les différentes couleurs qui s'en irradient agissent sur plusieurs chakras. L'opale *noire* équilibre tous les centres vitaux et les harmonise.	Élève notre état de conscience normale jusqu'à la prise de conscience de la « présence » cosmique. Aide notre vision intérieure à atteindre les plus hauts niveaux spirituels.

Pierres et cristaux	Chakras correspondants	Effets thérapeutiques sur le plan physique	Effets sur le plan spirituel
Perle		Aide les personnes dont l'organisme souffre d'une carence de calcium car elle en contient elle-même beaucoup.	Transmutation. Invite au sacrifice en nous permettant d'accéder à l'Amour infini. Nous montre le chemin de la purification en nous obligeant à nous confronter avec notre propre nature et à assumer nos responsabilités.
Tourmaline noire		Excellent bouclier contre toutes les énergies négatives. La plus bénéfique des pierres noires.	Aide à éclaircir les rêves et les pensées abstraites. Nous enseigne que la vie doit prendre une forme pour se manifester sur le plan physique. Le noir est le symbole de la matière, le blanc celui de l'Esprit.
Onyx noir			Favorise la stabilité, le sens de la responsabilité et le contrôle de soi.

INDEX ALPHABÉTIQUE

Les folios imprimés en italique renvoient aux illustrations.

INDEX ALPHABÉTIQUE

TABLE DES MATIÈRES

TABLE DES MATIÈRES

Achevé d'imprimer pour le compte de
Yva Peyret, éditeur,
Corcelles-le-Jorat (Suisse)
sur les presses de l'Imprimerie 107 - Paris

1er trimestre 1986